KAI CHENG THOM

Für die Liebe entscheiden

Notizen einer jungen trans Frau vom Ende der Welt

Aus dem Englischen von Desz Debreceni

Inhalt

Teil 3 LASST UNS GLAUBEN

An alle Queers, die mir das Herz gebrochen haben
Und an alle, die es wieder zusammengeflickt haben

Einleitung

In Liebe, vom Ende der Welt

Während ich das hier im Frühling 2019 schreibe, sind wir uns in meiner Community von Queers of Colour mittlerweile einig, dass das Ende der Welt bevorsteht. Auf der ganzen Welt gibt es einen Rechtsruck bis hin zu offen faschistischen Regierungen, die an die Macht gewählt wurden. Reichtum und Macht konzentrieren sich zunehmend in den Händen weniger, schamlos korrupter Menschen. Klimawandel und Massenaussterben suchen den Planeten heim, was diejenigen, die die politische Macht haben, zum Großteil nicht einmal anerkennen.

Und was ist mit den Communitys queerer Menschen, rassifizierter und ausgegrenzter Menschen, und denen, die be_hindert werden, die sich ihre Macht zurückgeholt und ihre Rechte erkämpft haben? Mit den Aktivist*innen für soziale Gerechtigkeit[1], die mir beigebracht haben, an die Revolution zu glauben, die die Welt verändern und retten wird? Manchmal kommt es mir so vor, als ob die tiefsten Verletzungen mitten aus meiner eigenen Community kämen: Call-Out Culture. Interne Gewaltkonflikte[2]. Strenge Politik. Missbrauch unter Partner*innen. Öffentliche Bloßstellung. Wir wissen so viel über Trauma, aber so wenig darüber, wie wir damit umgehen sollen und es heilen können. Mit welchem Wissen wird sich die „Community" der Apokalypse entgegenstellen?

Im Jahr 2016 wurde ich fünfundzwanzig und veröffentlichte meinen ersten Roman. Kurz danach folgten ein Gedichtband und ein Kinderbuch, alle mit relativem Erfolg. In diesem Jahr wurde ich „queer famous". Doch es war auch das Jahr, welches mir mein Herz brach und bislang konnte ich es immer noch nicht wieder zusammenflicken. Es war das Jahr, in dem Trump gewählt wurde, in dem Millionen von Menschen in der syrischen Geflüchtetenkrise vertrieben wurden und in dem neunundvierzig Menschen - die meisten von ihnen queer und of Colour - in einem Nachtclub in Orlando, Florida, erschossen wurden. In den darauffolgenden Jahren folgten weitere Katastrophen und menschenverachtende Verbrechen.

1 Anm. d. Ü.: *Social Justice Movement* wurde durchweg mit „Bewegung für soziale Gerechtigkeit" übersetzt, hauptsächlich, um eine bessere Leserlichkeit zu schaffen. Kai Cheng Thom verwendet diesen Begriff, im Sinne einer radikalen, queer-feministischen Bewegung, die viele verschiedene Themen einbezieht. Vor allem geht es ihr aber um die Konflikte innerhalb ihrer politischen Community, mit der sie sich auseinandersetzt und die sie kritisch und oftmals mit spitzer Zunge hinterfragt.
2 Anm. d. Ü.: Im Original: *Lateral Violence*, auch: Selbstaufwertung durch die Abwertung anderer.

Mein fünfundzwanzigstes Lebensjahr war auch das Jahr, in dem ich mehrere schwere, persönliche Krisen erlebte, die zum Verlust einiger lieber Freund*innen und Menschen aus meiner Wahlfamilie führten, sowie zu einem psychischen Trauma, von dem ich mich nicht erholt habe. All die hochtrabenden Ansprüche der Bewegung für soziale Gerechtigkeit haben mich nicht auf die verheerenden Folgen vorbereitet, die Missbrauch, psychische Probleme und der immense Druck, als öffentlich bekannte trans Frau of Colour in den sozialen Medien zu stehen, mit sich bringen, oder was diese mit meiner Seele anrichten würden.

Ich litt nicht nur unter Schmerzen, sie wurden auch noch öffentlich zur Schau gestellt, genaustens unter die Lupe genommen und zum Tratsch aller gemacht. Menschen, die ich nicht kannte, zumeist queer und rassifiziert, schickten mir ellenlange E-Mails und Facebook-Nachrichten, in denen sie um Nähe und Aufmerksamkeit baten und mich gelegentlich bedrohten, wenn ich ihnen diese nicht gab. Journalist*innen fragten mich über mein Privatleben aus – über mein Sexleben, Familie, psychische Gesundheit; kein Thema war tabu. Ich wurde gestalked, on- wie offline. Ich litt unter Angstzuständen und Paranoia. Ich konnte niemensch mehr vertrauen, am wenigsten dem, was wir „Community" nennen. Ich hörte auf, mir selbst zu vertrauen.

Auch die Menschen um mich herum steckten in Krisen – psychischen, finanziellen, gesundheitlichen, zwischenmenschlichen. Wenn du in einer Community von Queers, Anarchist*innen und Aktivist*innen lebst, ist Krise der Normalzustand und Stabilität die Ausnahme.

Ich verlor meinen Glauben an die Community. Ich verlor Hoffnung – in soziale Gerechtigkeit, in die Revolution, in die ganze Welt.

Wenn wir den Glauben an die wirklich wichtigen Dinge verlieren, ist es leicht, der Wut zu verfallen. Wut hilft uns dabei zu überleben, wenn Überleben unmöglich erscheint. Ich war immer schon sehr wütend, was ich in gewisser Weise auch immer noch bin. Ich kann gar nicht anders, um weiterzuleben. Dennoch hatten Wut, sowie ihre Geschwister Zorn und Rache, schädliche Auswirkungen auf meine Community. Ich habe miterlebt, wie sich Menschen schreckliche Dinge angetan haben, im Namen von Wut und Rache. Letztendlich scheint es niemensch wirklich geholfen zu haben.

Inmitten dieser Verzweiflung habe ich mich dem Glauben an Liebe zugewendet – das Gefühl der Liebe, die Politik der Liebe, die Ethik und Ideologie und Verkörperung von Liebe. In diesen apokalyptischen Zeiten ist sie für mich der einzige Weg. Was bleibt uns sonst noch?

Damit meine ich Liebe, die herzlich ist, aber auch aufrichtig. Liebe, die mutig und unermüdlich ist und bereit, Regeln zu brechen und das System zu sprengen. Liebe, die sich mehr um Menschen kümmert als um Ideen, die jeden einzelnen Menschen als unerlässlich und unersetzlich wertschätzt. Ich meine damit Liebe, die einfühlsam ist und sich verantwortlich zeigt. Ich meine damit

Liebe, die uns als komplex und fehlbar und dennoch liebenswürdig bestätigt und bekräftigt. Liebe, die uns als Mensch begreift.

Ich möchte mit Liebe leben und an die Liebe glauben. Wenn ich sterbe, möchte ich mit Liebe sterben. Unsere ganze Welt steuert womöglich auf das Ende zu, oder aber wir befinden uns inmitten eines gewaltigen und angsteinflößenden Wandels, der zu etwas Besserem führen wird. So oder so möchte ich alles in Liebe durchstehen, mit den Menschen, die ich liebe.

Deswegen geht es in diesem Buch um Liebe. Ein Satz, von dem ich nie gedacht hätte, dass ich ihn mal schreiben würde. Dies ist ein Buch, von dem ich nie gedacht hätte, dass ich es überhaupt schreiben *könnte*. Es ist keine leichte Sache, an die Liebe zu glauben, besonders nicht, nachdem so viele Menschen und Ideale, die mir so wichtig waren, mich entweder verletzt haben oder mir genommen wurden. Doch auch ich habe Menschen verletzt und ihnen etwas genommen. Ich habe Fehler gemacht, und noch Schlimmeres. Dennoch will ich geliebt werden und ich will, dass mensch an mich glaubt.

Dies ist also ein Buch über Liebe. Ein Buch über revolutionäre Liebe. Liebe, die uns vielleicht nicht vor dem Ende der Welt retten wird, aber die es uns ermöglicht, es durchzustehen. Es könnte schwierig werden, daran zu glauben. Es wird noch schwieriger, es auch zu leben. Ich hoffe, dass wir uns trotzdem für die Liebe entscheiden.

In unsterblicher Liebe
Kai Cheng Thom, April 2019

Teil 1
LASST UNS LEBEN

Selbstgerechte Aufrufe

Gutes tun, Linke Orthodoxie und die Glaubenskrise sozialer Gerechtigkeit

In mir schlummerte schon immer diese tiefsitzende Überzeugung, dass ich ein schlechter Mensch bin und dass die Welt ein schrecklicher Ort ist. Vielleicht passiert das aber auch automatisch, wenn du als femininer Junge (heimliches trans Mädchen) in einer chinesisch-kanadischen, mehr oder weniger christlichen Familie aufwächst (ohne Gottesdienst, aber gläubig genug, um mit ewiger Verdammnis zu drohen, damit die Kinder im Haushalt helfen), die außerdem ein Klassen-Trauma und vererbte psychische Probleme mit sich bringt. Eine meiner ersten Erinnerungen ist, wie ich mit ungefähr vier Jahren auf den Küchentisch in unserem von Ratten befallenen Haus krabbele und denke: *Ich bin verwöhnt. Mama und Papa haben es wirklich schwer. Ich wünschte, ich wäre nicht so ein schlechtes Kind. Ich muss mich mehr anstrengen.* #migrantkidmentality

Szenenwechsel: Ich liege als Sechzehnjährige nach einem Suizidversuch in der Psychiatrie und mir gehen noch immer dieselben Gedanken durch den Kopf.

Erneuter Szenenwechsel: Es ist das Jahr 2017, und ich bin sechsundzwanzig. Ich tippe zum ersten Mal diesen Essay ab und liege an einem Samstagmorgen mit chronischen Schmerzen und Brain Fog im Bett, mir gehen IMMERNOCH die gleichen Gedanken durch den Kopf.

Im Nachhinein ist es wohl nicht so schwer zu verstehen, wie ich in diese ganze Sache mit sozialer Gerechtigkeit/radikalem queeren Aktivismus geraten bin. Wie viele meiner Peers, wünschte ich mir sehnlichst, ein guter Mensch zu sein - oder, um es im gängigen Sprachgebrauch vielerlei politischer Momente der letzten zehn Jahre auszudrücken, „rad", „down" oder „woke" zu sein. Aber mein psychisch kranker, transsexueller Arsch würde nie die Formel finden für das, was meine Eltern als *das Gute* definierten (im Gegensatz zu meiner mit Harvard-Abschluss ausgezeichneten, biologisch-abbaubare-Weichmacher-erfindenden, mit einem Hedgefonds-Manager verlobten, in der Psychiatrie arbeitenden älteren Schwester). Die *radikale queere Community* hingegen offenbarte mir eine ganze Reihe neuer Leistungsmaßstäbe und Normen der Liebenswürdigkeit, die, zumindest oberflächlich, meinen Identitätskategorien, die mir in meiner Kindheit so viel Scham verursacht hatten, einen Wert zusprachen (transsein, effeminiert sein, psychisch krank sein, im Großen und Ganzen eine schlechte Einstellung).

Na ja, und zu allem Überfluss war ich eine verrückte, junge trans Frau of Colour, die in einer *weißen*, überwiegend cis-geschlechtlichen Gesellschaft lebte.

Wo sollte ich auch sonst hin? Was hätte ich sonst tun können? So bot sich mir die ganz neue Gelegenheit, endlich ein *guter Mensch* zu sein, *rechtschaffend* und *liebenswürdig* zu sein und endlich *Gutes* zu tun.

Eine befreundete Person von mir (wir sind ähnlich verbittert) nennt mich gelegentlich scherzhaft/nicht-so-scherzhaft die „Hohepriesterin der Bewegung". Mein Freund nennt mich auch manchmal „Mini-Promi". Das bedeutet eigentlich nur, dass ich zwei Bücher veröffentlicht habe, die in der Kunst/Aktivismus-Szene für soziale Gerechtigkeit Anerkennung finden, dass ich manchmal auf der Straße erkannt werde und dass ich viele Likes auf Facebook bekomme. Außerdem bekomme ich etwas Geld für Vorträge, Artikel - für diesen allerdings bei der Erstveröffentlichung nicht - und Tantieme - das ist dann sowas wie ein winziger Bruchteil eines Mindestlohns, wenn du den Stundenlohn herunterbrichst.

Mit anderen Worten, ich hab's geschafft. Ich bin Gut/Rad/Woke™, zumindest für den Augenblick – um das zu ändern, bedarf es nur ein paar schnell zusammengetippter, problematischer Tweets. Und alles, was ich dafür tun musste, bestand lediglich darin, eine leichte Behinderung aufgrund von Burnout und post-traumatischem Stress auf mich zu nehmen. Hurra.

Doch unter all diesem Zynismus bleibt meine aufrichtige Neugier: Wie konnten wir, die lose zusammenhängende Linke der sozialen Gerechtigkeit Nordamerikas/Turtle Islands (einer der ersten, indigenen Namen für diesen Kontinent), nur in diesem Schlamassel landen? Ich sage absichtlich „wir" und nicht „ich", weil ich glaube, dass meine eigene Geschichte stellvertretend für eine Dynamik steht, mit der viele Leute in meiner Kohorte von *Social Justice Warriors* (für diejenigen, die mit dem Diskurs nicht vertraut sind: SJW ist die bevorzugte Abkürzung) Erfahrungen machen.

Es scheint ein neuer Wind zu wehen, wenn nicht sogar ein Sturm, der online wie offline durch die linke Szene fegt, ein Windstoß des Un-Wohlseins (wenn du so willst) dahingehend, wie sich Affekt (das Erleben und Ausleben von Emotionen) und Orthodoxie (die Schaffung von Normen politischen Denkens und Handelns) abspielen. Wir hinterfragen zunehmend, wie wir zu Politik und zueinander stehen.

Dieser neue Wind kommt in einer Reihe von aktuellen Beiträgen mit dem Thema soziale Gerechtigkeit zum Ausdruck, die jeweils einen gewissen Ruf erlangt und Kontroverse hervorgerufen haben. Ich beurteile weder die Qualität noch die Relevanz dieser Texte oder deren Mangel daran. Mit manchen stimme ich überein, mit anderen nicht. Zu allen habe ich ein kompliziertes Verhältnis. Ihr gemeinsamer Nenner ist ihre Kritik *aus* der linken Bewegung für soziale Gerechtigkeit *über* die Bewegung selbst:

• Sarah Schulmans Buch „Conflict Is Not Abuse" (Konflikt ist kein Missbrauch). Darin analysiert und kritisiert Schulman eine Handlung, die sie „overstatement of harm" (Anm.d.Übers.: Übertreibung der Schadensbenennung) nennt, als eine aktivistische Taktik, die Verbindungen in Communitys trennt und die Macht des Staats stärkt, Menschen zu kontrollieren und zu verhaften.

• Porpentine Charity Heartscapes Essay „Hot Allostatic Load" (Anm.d.Ü. „Heiße allostatische Belastung", als Allostase werden langfristige Anpassungsmechanismen des Organismus an chronische Belastungen bezeichnet.) Ein Bericht, in dem die Autorin schildert, wie sie innerhalb der queeren Szene durch Call-Outs in den sozialen Medien gemobbt, ausgenutzt und traumatisiert wurde.

• Trent Eadys Artikel „Everything Is Problematic" (Einfach alles ist problematisch), in dem der*die Autor*in Parallelen zwischen dem Aktivismus der Studierendenproteste in Quebec von 2012 und dogmatischen Sekten zieht.

• Frances Lees Artikel „Excommunicate Me from the Church of Social Justice" (Exkommuniziert mich aus der Kirche für sozial Gerechtigkeit). Ein Vergleich zwischen den jeweiligen Dynamiken von tugendhaften Verhaltensmustern und Schuldzuweisungen des rechten Christentums und der linken Bewegung für soziale Gerechtigkeit sowie ein Apell für mehr Offenheit in der Linken.

• Angela Nagles Buch „Die digitale Gegenrevolution: Online-Kulturkämpfe der Neuen Rechten von 4chan und Tumblr bis zur Alt-Right und Trump", in dem die Autorin argumentiert, dass der derzeitige Aufstieg der Neuen Rechten (Alt-Right) und des Neo-Nationalismus in der amerikanischen und, bis zu einem gewissen Grad, auch in der globalen Politik weitgehend durch die politische Polarisierung der erneuten Kulturkämpfe zwischen zunehmend entmächtigten rechten Amerikaner*innen und der entfremdenden Politik der amerikanischen progressiven Linken inspiriert wurde.

Deutlich bekannter ist die YouTube-Vloggerin Laci Green, eine selbsternannte feministische Sexualpädagogin mit einer etablierten Präsenz in den Mainstream-Medien sowie mehreren hunderttausend Followern, die einen subkulturellen Skandal auslöste, nachdem sie die „rote Pille"[3] einnahm und viele ihrer bisherigen progressiven politischen Ideen widerrief - unter anderem

3 Ein Ausdruck der amerikanischen Neuen Rechten, der Alt-Right Bewegung und militanter Männerrechtler. Einer Person die rote Pille zu geben ist damit gleichzusetzten, ihr die „Augen zu öffnen", um vermeintliche gesellschaftliche Zustände wahrnehmen zu können. Anspielung auf den Film *Matrix*.

das Argument, dass eine binäre Geschlechterordnung sozial konstruiert ist und trans Menschen durch diese unterdrückt werden. Green ermöglichte außerdem „Gespräche" mit Vlogger*innen „des gesamten Spektrums", angefangen bei radikalen „Feminist*innen", die trans Frauen und Sexarbeiter*innen aus ihren Kämpfen ausschließen, bis zu „anti-SJWs" – auch bekannt als Alt-Right. Auf Twitter prangert Green die extrem negativen Reaktionen vieler ihrer ehemaligen Fans als regressiv, Gedankenpolizei und diskursiv gewalttätig an.

Echt jetzt? Ekelhaft! Was passiert da bitte mit der Glaubenskrise sozialer Gerechtigkeit? Wie kam es dazu? Und was soll da eine übereifrige und zugleich politikverdrossene, ostasiatische Transe mit Bindungstrauma, die einfach nur überleben und gleichzeitig ein guter Mensch sein will, noch tun?

Na ja, zuallererst könnte sie ihren eigenen Essay schreiben, um das Ganze besser zu verstehen.

Ich gehe davon aus, dass der Großteil der Leser*innen sich der Bewegung für soziale Gerechtigkeit zuordnen. (Warum sonst würde dich das hier interessieren? Bist du etwa ein anti-SJW/Alt-Righter, der versucht, meine Inhalte als Futter für seine selbstbefriedigenden Reddit-Threads zu benutzen? Bah! Zieh ab.)

Es ist also wohl kaum überraschend, wenn ich schreibe, dass es aus meiner Erfahrung viele Linke und marginalisierte Leute gibt, die sich nicht immer wohl fühlen mit der Richtung, in die sich die Linke für soziale Gerechtigkeit bewegt, insbesondere hinsichtlich ihres Fokus auf Identitätspolitik, die sich immer weiter fragmentiert, sowie auf die Selbstdarstellung von Tugendhaftigkeit. Es ist tatsächlich so, dass ich mich, sobald ich mit meinen Freund*innen „aus der Community" Zeit verbringe, meistens über die Dynamiken „in der Community" beschwere.

Lass mich kurz innehalten, um dir zu versichern, liebe*r Leser*in, dass sich dieser Essay nicht in die Richtung bewegt: „Und jetzt zähle auch ICH mich zum Bildungsbürgertum! Denn beide Seiten liegen falsch! Ich bin ganz anders als diese ganzen Progressiven!" Aber das ist völliger Bullshit. Die folgenden Wahrheiten erachte ich persönlich als selbstverständlich:

- Wir leben in einer Welt, die grundlegend durch die systematische Ausbeutung und den Missbrauch vieler unterdrückter Gemeinschaften bestimmt wird.

- Kapitalismus und Ableismus sind übergreifende Unterdrückungssysteme, die den Wert eines Individuums auf seine Fähigkeit, zu arbeiten und Waren für die privilegierten Klassen zu produzieren, reduzieren. Jede*r verdient Zugang zu lebenswichtigen Ressourcen, Würde und Selbstbestimmung, unabhängig von ihren*seinen Fähigkeiten.

• Europäischer Kapitalismus und Imperialismus haben in den vergangenen Jahrhunderten für die anhaltende Kolonisierung und, in vielen Fällen, den Genozid von indigenen Gemeinschaften auf der ganzen Welt sowie für die Versklavung und Leibeigenschaft von People of Colour gesorgt. Vor allem Schwarze und indigene Menschengruppen waren und sind bis in die Gegenwart unverhältnismäßig von rassistischer Ausbeutung, Gewalt, Diskriminierung und Gefangenschaft betroffen.

• Die Unterdrückung von Frauen und gender-nonkonformen Individuen, sowie sogenannten sexuellen Minderheiten, spielt eine grundlegende Rolle bei der Aufrechterhaltung von Unterdrückungsstrukturen im Allgemeinen.

• Menschen mit Mehrfachdiskriminierung, wie etwa trans Frauen of Colour, die sich ihren Lebensunterhalt als Sexarbeiter*innen verdienen, haben eine spezifische und verschärfte Erfahrung mit Ausgrenzung.

• TRANS FRAUEN SIND FRAUEN.

• Die Arbeit gegenwärtiger politischer Bewegungen wie Black Lives Matter und Idle No More[4] ist unverzichtbar und notwendig und muss unterstützt werden.

• Sexarbeit, sofern sie einvernehmlich von dem*der Arbeiter*in verrichtet wird, ist berechtigte Arbeit, die einen wertvollen Beitrag für die Öffentlichkeit leistet, und sollte entkriminalisiert und respektiert werden. Sexarbeit unterscheidet sich von Menschenhandel. Dieser geht mit der Ausbeutung von einzelnen Körpern einher, zumeist für sexuelle Zwecke, aber auch für andere Formen der Haus- und schwerer körperlicher Arbeit.

• Unterdrückung wird selten, wenn überhaupt, nur durch friedlichen Widerstand allein überwunden. Wirtschaftlicher und sozialer Druck sowie direkte Aktionen und militanter Protest sind wesentliche Bestandteile revolutionärer Bewegungen.

Nachdem wir das geklärt haben, kann es jetzt ja weitergehen, okay?

Die Mainstream-Kritik an der Kultur der sozialen Gerechtigkeit ist vielfältig und bösartig. Größtenteils ist sie in liberalen Appellen an den Status quo verwurzelt („SJWs untergraben ihre eigene Sache, indem sie so wütend und idealistisch sind! Eins nach dem anderen!!") oder aber in offener und direkter Frauenfeindlichkeit, Rassismus und Neofaschismus. Ich werde keine Zeit

4 Idle Nor More ist eine von indigenen Frauen gegründete feministische Protestbewegung, die sich seit 2012 für den Schutz der Umwelt und Vertragsrechte indigener Nationen in Kanada einsetzt.

damit verschwenden, diese Argumente auseinanderzunehmen, hauptsächlich weil viele andere Denker*innen und Autor*innen ausgezeichnete Arbeit diesbezüglich geleistet haben. Ich interessiere mich vielmehr für die komplizierten „Grauzonen" innerhalb der Linken selbst, wo meine Wenigkeit im Moment ihre meiste Zeit verbringt.

Die folgende Liste ist eine Zusammenfassung der Probleme, die ich mit der Kultur rund um soziale Gerechtigkeit habe. Dabei bin ich mir vollkommen bewusst, dass die „Community" und die „Bewegung" keinesfalls aus einem Guss sind, geschweige denn einem einheitlichen politischen Gebilde. Im Allgemeinen spreche ich von Erfahrungen, die ich mit Aktivismus und der radikalen queeren Community in den Großstädten von Turtle Island gemacht habe, sowie am heiligen Geburtsort des revolutionären Denkens: dem Internet. Ich weiß, dass die meisten dieser Gedanken nichts Neues sind. Außerdem vereinfache ich zweifellos bestimmte Themen oder gebe sie unverhältnismäßig wieder. Mein Ziel ist dabei nicht, Ruhm und Anerkennung für eine glänzende, neue Analyse zu ernten, sondern vielmehr den Kern meiner eigenen Gedanken und Gefühle einzufangen, wie diese durch meine Lektüre, Erfahrungen und Gesprächen mit Freund*innen geprägt wurden.

Hier sind sie also, einige der Schwierigkeiten, die ich (und vielleicht auch andere) mit der internen Kultur der Bewegung für soziale Gerechtigkeit habe:

• *Zersplitterung der Identitätspolitik und Essentialismus*: Falls das Ganze noch nicht bei euch angekommen ist, nachdem ich mich als „verrückte, ostasiatische Transsexuelle" bezeichnet habe – ich bin ein *Original Identity Politics Girl™*. Die Vorstellungen von sozialer Gerechtigkeit in Bezug auf Identität, insbesondere Race und Gender, haben mich als Teenager empowered und befreit, und sie tun es bis heute. Die Sprache der Identitätspolitik befähigt uns, soziale Machtstrukturen zu benennen, die sonst unsichtbar bleiben würden, wie z. B. *weiße* Privilegien, Kolorismus und Transmisogynie.

Mit fortschreitender Ressourcenknappheit und Einkommensungleichheit im Spätkapitalismus, glaube ich jedoch eine zunehmende Fragmentierung und Vereinfachung von Identitätspolitik zu sehen, und zwar über den Weg der *Oppression Olympics*: ein harter Wettbewerb um Ressourcen, wie zum Beispiel finanzielle Förderungen, Aufmerksamkeit und Berechtigung aufgrund der Anzahl und Art der unterdrückten Identitäten, die mensch für sich in Anspruch nimmt. Das geschieht für gewöhnlich auf einer individuellen Ebene – ganz vereinfacht ausgedrückt, im *Social Justice Land* betonen wir unsere marginalisierten Identitäten und spielen unsere privilegierten herunter, um cool und wichtig rüberzukommen und um uns vor Kritik zu schützen. Im Internet sehe ich manchmal Auseinandersetzungen, bei denen die Beteiligten versuchen, sich gegenseitig zum Schweigen zu bringen, indem sie ihre Identitäten als Waffen einsetzen, z. B.: „So kannst du nicht mit mir reden. Ich bin trans und du bist transfeindlich!" - „Ach ja? Also ich bin femme und du bist masc! Halt dein frauenfeindliches, femmefeindliches Maul!"

Diese Art von Identitätspolitik bezieht sich auf ein Maß an Essentialismus, mit dem ich mich unwohl fühle. Es wird davon ausgegangen, dass alle Menschen of Colour, trans Leute usw. die gleichen Erfahrungen machen und dass Identitätskategorien einheitlich und durchgängig gelten, dass sie als gegeben hingenommen werden. Außerdem werden die Menschen auf eine sehr begrenzte Anzahl von „relevanten" Identitäten reduziert und der Rest ihrer Lebenserfahrungen wird ausgeblendet, während der Leidensdruck der Unterdrückten fetischisiert wird. Strategischer Essentialismus - die Fähigkeit, auf der Grundlage von Allgemeinheiten zu sprechen und Gruppen zu bilden - ist ein wichtiges Instrument des Aktivismus. Aber die Art von Identitätspolitik, die mir Unbehagen bereitet, ist nicht so sehr strategisch als vielmehr unaufrichtig und eigennützig. Oft hat mensch das Gefühl, dass wir mehr an der Vielfalt der Identität als an der Vielfalt der Gedanken interessiert sind.

• *Angewiesenheit auf Binaritäten*: Mit Essentialismus geht auch eine verkürzte Kategorisierung von Menschen und Systemen in falsches binäres Denken einher: Unterdrücker*in/Unterdrückte*r, Überlebende*r/Täter*in, problematisch/unschuldig. Wie gesagt, diese Begriffe sind in bestimmten Situationen von Nutzen, aber sie können genauso die Feinheiten und Wechselbarkeit jeder Person oder Situation undurchsichtig machen – z. B. kann es durchaus vorkommen, dass eine *weiße* Person aus der Arbeiter*innenklasse in manchen Fällen größere finanzielle Probleme hat als eine asiatische Person aus der Mittelklasse und umgekehrt.

• *„Sicherheit" und politische Regressivität*: „Sicherheit" als Konzept ist bei bestimmten Formen des Umgangs im Kontext sozialer Gerechtigkeit allgegenwärtig. Am bekanntesten ist die Verwendung von Trigger- oder Content- bzw. Inhaltswarnungen, bevor etwas mit möglicherweise belastenden Inhalten diskutiert oder vorgeführt wird. Doch die Politik der Sicherheit stammt im weitesten Sinne aus dem Zuspruch für persönliche Zustimmung oder Konsens – dem Zustimmen von Berührungen, sozialer Interaktion oder bestimmten Vorstellungen und Ideen ausgesetzt zu sein.

Ich bin eine Traumaüberlebende (Überraschung!), und der Gedanke an Sicherheit beschäftigt mich täglich. Ich habe Verständnis für das Bedürfnis nach Sicherheit, denn die meiste Zeit fühle ich mich nicht sicher. Aber die politische Praxis um Sicherheit bereitet mir Sorge, wenn die Sicherheit einer Einzelperson oder Gruppe auf Kosten einer anderen Person oder Gruppe stattfindet. Alt-Righter jammern gerne darüber, dass sie ihre Redefreiheit an diese Sicherheitspolitik verloren haben, womit sie buchstäblich die Freiheit meinen, frauenfeindlich/rassistisch/transfeindlich/ableistisch zu sein. Mir geht es hingegen um gefährdete Personen, die tatsächlich gesellschaftliche Zugänge und körperliche Autonomie verlieren könnten. Ich denke dabei zum Beispiel an queere Community-Zentren, in denen ich in der Vergangenheit gearbeitet habe, die psychisch kranken trans Frauen und wohnungslosen Personen den Zugang verwehrt haben, weil ihre bloße Anwesenheit dazu führte, dass sich Queers aus der Mittelklasse „unsicher" fühlten.

Meiner Meinung nach ist Sicherheit durch und durch eine Erfahrung, die von Klassen-, Race- und Genderstrukturen durchzogen ist, was häufig die Gefahr birgt, dass sie für rückschrittliche Zwecke eingesetzt wird. Ironischerweise um die Freiheiten der wehrlosesten unter uns zu beschränken, die ohnehin nie wirklich in den Genuss von Sicherheit kommen. Nicht selten zeigt sich, dass der Ruf nach Sicherheit die Macht repressiver Institutionen, wie der Polizei und des Gefängnissystems, in unserem Leben noch verstärkt. Sobald wir Sicherheit über Befreiung stellen, scheitert unsere Bewegung.

- *Selbstdarstellungen von Gutsein*: Im Internet der sozialen Gerechtigkeit grassieren immer wieder Gruppenzwänge, immer wieder zu demonstrieren, dass mensch sich an die angesagten Denk- und Glaubensnormen hält. Wir bemühen uns, die Kommentare, Tweets und Status-Updates anderer mit politischer Kritik und Takedowns zu übertreffen und dabei die neueste, noch perfektere, diskriminierungsfreiste Sprache zu verwenden. Freund*innen von mir haben dies als „aktivistisches Theater" bezeichnet, in dem Gutes getan wird, mit dem Ziel vorübergehender Absolution für die ursprünglichen Sünden des Priviligiertseins und der Unwissenheit. Wahrgenommene Problematiken werden häufig verbissen in die Länge gezogen, und sinnvolle Dialoge sind rar gesät (auch wenn sie stattfinden). Die kulturelle Atmosphäre begünstigt daher eher angstgetriebene Versuche, das eigene Gutsein durch den Glauben an das Dogma zu beweisen, als die Schaffung authentischer Beziehungen, in denen wir unvollkommen (d. h. menschlich) sein dürfen oder uns um die Entwicklung eines sinnvollen sozialen Wandels bemühen. Die Selbstdarstellung der guten Taten beruht oft auf der Einhaltung verblüffend einfacher politischer Slogans, die ohne Rücksicht auf den Kontext starr auf alle Situationen angewendet werden. Als ob *Wokeness* eine Fabrik wäre, in der endlos die gleichen Gedanken produziert werden müssen, wobei sich einer kaum vom nächsten unterscheidet.

- *Selbstgerechtigkeit und Ausgrenzung*: Wenn es sich selbst überlassen wird, kann das moralisierende Verhaltensmuster des Diskurses über soziale Gerechtigkeit (wie es die Kids heutzutage nennen) auch zu einem unangenehmen Ton der Überlegenheit und Selbstgerechtigkeit führen. Diejenigen, die nicht „rad" oder „woke" sind, werden entweder als der Achtung unwürdig betrachtet oder wie unaufgeklärte potenzielle Bekehrungswillige behandelt. Häufig handelt es sich bei diesen Unwürdigen um ältere Menschen oder Menschen aus der Arbeiter*innenklasse/arme Menschen, die keinen Zugang zur Sprache der sozialen Gerechtigkeit haben, oder um Menschen, deren Kulturen andere Glaubenssysteme vertreten. Bewegungen rund um soziale Gerechtigkeit drehen sich somit gegenläufig schnell nur noch um *weiße*, englischsprachige Nordamerikaner*innen, der Millennial-Generation aus der Mittelklasse mit Universitätsabschluss, und um die restlichen unter uns, die es geschafft haben, sich irgendwie Zugang zu verschaffen.

Bei diesem Thema muss ich an meine Großmutter denken, eine chinesische Frau aus der Arbeiter*innenklasse, die in den 1960ern ohne ein Wort Englisch zu sprechen nach Kanada kam, während sie unter einer schweren Psychose litt. Sicherlich hätte sie von einer Befreiungsbewegung profitieren können, aber in die heutigen Kreise hätte sie es nie geschafft – niemand hätte sie verstanden oder toleriert, geschweige denn ihr geholfen.

• *Mobbing und Call-Outs*: Es gab bereits eine Menge Diskussionen in der Öffentlichkeit über die Vor- und Nachteile der sogenannten aktivistischen Call-Out-Kultur, also werde ich mich nicht allzu sehr damit befassen. Es genügt vielleicht zu sagen, dass eine Kultur, in der politische Bildung hauptsächlich durch öffentliche Beschämung erfolgt, weder sozial transformativ noch aus psychologischer Sicht hilfreich ist. Nach meiner Erfahrung kann Call-Out-Kultur auch außer Kontrolle geraten und in Bestrafung durch Mobbing und Einschüchterungen enden, zum Beispiel Doxing[5], Online-Belästigung usw.

• *Celebrityism und Mob-Mentalität*: Ohne klare Anführer*innen hat die Kultur für soziale Gerechtigkeit ein System von Mikroberühmtheiten aufgebaut (manchmal sind sie auch nicht ganz so unbekannt). Von diesen Leuten holen wir uns Inspiration und Orientierung: Künstler*innen, Akademiker*innen, Vielnutzer*innen sozialer Medien, öffentliche Redner*innen, charismatische Veranstalter*innen – und eine gewisse Essay-schreibende, spoken-word-vortragende ostasiatische Transsexuelle. Diese Personen sind bei ihren Fans hochgeachtet und üben einen unverhältnismäßig großen Einfluss auf politische Meinungsbildung in der Bewegung aus – ihre Tweets und Posts, Schriften und Videos werden geliked, gebloggt und geteilt, als Teil der Aufführung von Wokeness im aktivistischen Theater. Ihre Namen und Zitate werden wie heilige Texte als Teil des Evangeliums der sozialen Gerechtigkeit angeführt. Sie werden gelobt, als lebten sie an der Spitze des aktivistischen Denkens (auch wenn einige dieser Mini-Promis nur am Rande oder gar nicht mit der tatsächlichen Arbeit an der Basis verbunden sind), und sie werden als lebende Beispiele für aktivistische Reinheit - für die rechtschaffene Berufung unserer Bewegung

5 Anm. d. Ü.: Bezeichnet das Sammeln von personenbezogenen Daten, die dann ohne Zustimmung veröffentlicht werden.

- auf ein Podest gestellt. In den Vereinigten Staaten gibt es eine ganze Industrie von Semi-Berühmtheiten aus dem Bereich der sozialen Gerechtigkeit, die ihren Lebensunterhalt mit Reden und Auftritten auf Tourneen verdienen, die zumeist von Studierendengruppen finanziert werden, mit Zugang zu Mitteln der Hochschulen und Universitäten.

Doch auch die Position solcher Berühmtheiten ist prekär, denn es kommt unweigerlich der Moment, in dem eine*r von ihnen für eine „problematische" Äußerung oder Handlung gerügt wird - sei es aus Unwissenheit oder Böswilligkeit, aus Unachtsamkeit oder weil er*sie mit der sich wandelnden Landschaft der politisch korrekten Sprache nicht Schritt halten konnte. Was dann folgt, hängt von der Schwere des Vergehens, dem sozialen Kapital der Person und ihrer Einhaltung der Normen der sozialen Gerechtigkeit in Bezug auf „Rechenschaftspflicht" ab, ein Wort, das hier „die Fähigkeit und Bereitschaft, einem Skript für die richtige Art der Entschuldigung zu folgen" bedeutet. Ein solcher Aufruf kann sich verheerend auf die wirtschaftliche und soziale Sicherheit derjenigen auswirken, die auf die Einnahmen aus ihrer Kunst, ihrem Schreiben oder Sprechen angewiesen sind, um zu überleben - in der Regel marginalisierte trans Personen und arme People of Color. Wahre Rechenschaftspflicht sollte auf persönlicher Integrität und echter Lernbereitschaft beruhen, was sich schwer in die Tat umsetzen lässt, wenn der Lebensunterhalt einer Person bedroht ist.

Was mich an der Kultur der Prominenten in der Bewegung für soziale Gerechtigkeit besonders interessiert und mir gleichzeitig beunruhigend vorkommt, ist ihre Beziehung zur Mob-Mentalität und zum Kapitalismus: Wir lassen uns gerne von prominenten Persönlichkeiten innerhalb der maskierten Hierarchie der Bewegung politisch leiten, indem wir sie gleichzeitig auf ein Podest erheben aber auch ständig kritisch überprüfen - bis sie etwas sagen, mit dem wir nicht einverstanden sind. Daraus resultiert eine Atmosphäre, in der Einzelne nicht ermutigt werden, sich authentisch mit den Komplexitäten und Ambivalenzen unserer Politik auseinanderzusetzen. Weil wir entweder „nicht wichtig genug" sind oder weil wir zu weit oben sind, um zu fallen. Noch verstörender ist, dass die Celebrity-Kultur uns dazu ermutigt, den Wert von Menschen - ihr Recht auf Ressourcen und soziale Teilhabe - von ihrer Fähigkeit, etwas zu produzieren abhängig zu machen.

• *Kritik vs. Mitgefühl*: Das letzte Problem, das ich mit der Kultur sozialer Gerechtigkeit habe, ist die Tendenz, sich auf Kritik zu konzentrieren anstatt auf kreative Gedankengänge. Die Stärken der Ideologie sozialer Gerechtigkeit sind ihr genauer Blick und ihre spitze Zunge, ihre Fähigkeit, die versteckte Logik repressiver Systeme offenzulegen und zu entblößen – ein wirkungsvolles und wertvolles Mittel für die Revolution. Doch ich befürchte, dass die Verherrlichung von Kritik sowie die zentrale Rolle, die sie in der Selbstdarstellung des Gutseins spielt, zu starren Denkmustern geführt hat, die der endlosen

Wiederholung von Empörung und Konflikten Vorrang einräumt. Dies hindert uns daran, Strategien für Versöhnung, notwendige Kompromisse und gemeinsames Handeln zu finden.

Sieben Gründe warum ich, eine asiatische Transsexuelle, die Bewegung für Soziale Gerechtigkeit infrage stelle. Echt schade, dass ich nicht mehr für die Onlinezeitschrift *Everyday Feminism* arbeite. Dort hätte ich das hier in einen viralen *Listicle* verwandeln können und hätte ungefähr 50 Euro für 25 Stunden Arbeit verdient.

Vielleicht ist dir ja aufgefallen, du kluges Köpfchen, dass die Kämpfe, die ich soeben mit dir geteilt habe, nichts mit den „selbstverständlichen Wahrheiten" zu tun haben, die ich unmittelbar davor aufgelistet hatte. Ich spreche mich nicht so sehr gegen die grundlegende Ideologie der Bewegung aus, sondern vielmehr gegen die Art und Weise, wie die Bewegung die Ideologie zu sehr vereinfacht hat und dazu tendiert, toxische zwischenmenschliche Beziehungen zu schaffen. Aber leider, wie dir jede*r SJW, der*die ihr*sein Handwerk versteht, bezeugen kann, sind zwischenmenschliche Beziehungen der wichtigste politische Baustein: *The revolution starts at home*. Ohne gesunde und heilsame Beziehungen gibt es wahrscheinlich auch keine revolutionäre Bewegung.

Das Problem ist nur, wenn mensch eine Bewegung verlässt oder ihre wichtigsten Denk-, Verhaltens- und Beziehungsweisen ablehnt, muss mensch irgendwo anders hingehen. Im Exil ist es wirklich nicht besonders schön, selbst dann, wenn es selbst-auferlegt ist. Und im gegenwärtigen polarisierenden politischen Klima, mit dem Anstieg von Neo-Nationalismus und Faschismus und dem mächtigsten Militärstaat der Welt, der derzeit von einem narzisstischen Despoten regiert wird, scheint der einzige Weg nach ganz rechts zu führen (ich bin schon öfter von vermeintlichen Zentristen in die Irre geführt worden, nur um dann zu bemerken, dass sie einfach nur Rechte waren, die nicht das Zeug dazu hatten, sich auch so zu nennen).

Was das Bildungsbürgertum angeht, die gute alte Ethik des „was immer du tust, ist mir recht, solange es anderen nicht schadet" - nun, diese Denkweise ist in ihrer praktischen Form meist nur ein Appell zur Aufrechterhaltung des Status quo, da „anderen schaden" als alles definiert wird, was die privilegierte Klasse vor den Kopf stößt.

Und das Problem mit den Forderungen solcher progressiv denkenden Menschen nach „Meinungsfreiheit", „kollegialer Debatte" und „offenem Dialog" ist, dass sich der „offene Dialog" in der Regel als Plattform für Regressive und Trolle der Rechten entpuppt, anstatt eine Einladung an diejenigen zu sein, deren Stimmen sowohl von der Linken als auch von der Rechten ausgeschlossen werden. Auch hier denke ich an Frauen wie meine Großmutter.

Ich glaube, so ist Laci Green zu dem geworden, was sie ist: eine prominente Persönlichkeit der sozialen Gerechtigkeit mit viel sozialem Kapital, die einige der unangenehmen Aspekte der Bewegung erlebt hat – genaustens durchleuchtet werden, überzogene Kritik, Mob-Mentalität - und dann die Hände in den Schoß legte und einen großen Schritt nach rechts machte. Als hübsche, *weiße*, junge cis Frau wurden sie und ihr Wunsch nach „offenem Dialog" von den TERFs (trans-ausgrenzenden radikalen „Feministinnen") und den Alt-Rights des Internets mit offenen Armen empfangen.

Ich gehe mal stark davon aus, dass mir das nicht passieren wird.

Und wie machen wir jetzt weiter? Oder mehr auf mich bezogen:

Wie mache *ich* weiter?

Denjenigen, die problemlosen Zugang zu „mainstream" Communitys haben (sprich: nicht die radikale Linke), mag diese ganze Analyse wie eine einzige Nabelschau erscheinen. Vielleicht sollten ich und all die anderen Schneeflocken uns was Besseres zu tun suchen. (Glaub mir, ich habe schon oft überlegt, was ich sonst noch so tun könnte.)

Aber es ist nun mal so: Ich wurde nicht nur zur Hohepriesterin der radikalen Linken, weil ich gut sein wollte – sondern weil ich gut sein *musste*, zumindest für irgendjemanden. Ich musste es, um Freund*innen zu finden und im gleichen Zug Unterkunft, eine Arbeit und Krankenversicherung sicherzustellen. Ich bezweifle, dass ich irgendetwas davon hätte, und schon gar nicht auf dem Niveau wie ich es jetzt habe, ohne die unterstützenden Netzwerke der Bewegung. Weil ich eben eine Transsexuelle bin, und ohne die Hilfe der „Community" wäre ich der groben Gunst dieser undankbaren Welt ausgesetzt.

Hätte ich mein ganzes Leben in einer Mainstream-Community verbracht – wäre ich nie von zu Hause weggelaufen, hätte nie die queere Szene entdeckt – hätte mensch von mir erwartet, um des Überlebenswillen in die Rolle einer zweitklassigen Frau zu schlüpfen, meine Stimme und Bedürfnisse zu unterdrücken und stets dankbar zu sein, im Tausch gegen ein paar Krümel Normalität.

In der Bewegung für soziale Gerechtigkeit besteht der Preis für die Präsenz einer trans Frau darin, die Rolle einer revolutionären Galionsfigur zu spielen, ihre Stimme zu erheben wie eine Walküre, die eine Armee in die Schlacht führt, und im Austausch für Lob Überlebenskunst zur Schau zu stellen.

Meine Glaubenskrise rührt wohl daher, dass mir klar geworden ist, einen Stahlkäfig gegen einen anderen, biegsameren ausgetauscht zu haben, der etwas mehr funkelt und mit Strass verziert ist.

Wenn du als Kind in einer Umgebung physischer und psychischer Entbehrung gefangen bist, lernst du Scham als einen wirkungsvollen und raffinierten Überlebensmechanismus kennen: Zum einen beschützt dich die Scham, dass Gefahren außerhalb deiner Kontrolle liegen (das Problem ist nicht, dass du nicht geliebt wirst und es dir an etwas mangelt, sondern dass du ein schlechtes Kind bist). Zum anderen hindert sie dich daran, etwas Konfrontatives zu tun oder zu sagen, das eine Bedrohung auslösen könnte.

Als Erwachsene lässt uns die Scham vor der Intensität und der potenziellen Gefahr authentischer, mitfühlender Beziehungen zurückschrecken. Sie vermittelt uns, dass wir uns vor Unklarheiten in Acht nehmen sollen und uns entweder fügen müssen oder auf diejenigen losgehen sollten, von denen eine Bedrohung ausgehen könnte.

Scham bestimmt die Community, und zwar nicht nur die der sozialen Gerechtigkeit: In jeder eng verbundenen, von Ideologie geprägten Community, die ich kenne - ob chinesisch-kanadisch, christlich oder queer -, sind Scham und Verurteilung allgegenwärtig. In der Bewegung für soziale Gerechtigkeit sind Privilegien unsere Erbsünde und die Theorie unser Ave-Maria. Der politische Workshop und der Protest sind unsere Kirche, und die Organisator*innen und Redner*innen sind unsere Priester*innen. Scham und Verurteilung sind die beiden Gesichter des Traumas, und wir sind darauf trainiert, uns selbst und andere durch ihre Augen zu betrachten.

Ich als zynische, verrückte, ostasiatische Transsexuelle muss an dem Glauben festhalten, dass es auch noch einen anderen Weg gibt, wie wir uns sehen, miteinander sprechen und zusammen sein können. Ich muss daran festhalten, dass Mitgefühl, Vergebung und Großzügigkeit neben Gerechtigkeit, Verantwortlichkeit und Überleben zu den Grundwerten unserer Bewegung werden können. Dass wir lernen, Methoden der Versöhnung zu entwickeln, so, wie wir auch unsere Methoden für den Kampf verfeinern.

Liebe*r Leser*in, wenn du es bis hierhin geschafft hast, dann bitte ich dich, deinen eigenen Kopf zu benutzen. Denk über die Teile dieses Essays nach, die für dich sinnvoll waren, und über die, die es nicht waren (du kannst sie jederzeit verwerfen). Eine befreundete Person hat mal zu mir gesagt, dass meine Worte wegen meines „Berühmtheitsgrades" besonders viel Bedeutung haben. Das sollten sie aber nicht. Ich bin keine Hohepriesterin; ich bin nur ein verrücktes Mädchen, das in manischen Schüben Essays schreibt.

Aber ich weiß jetzt, was ich will.

Um Emma Goldman zu paraphrasieren:

Wenn ich nicht dazu tanzen kann, ist es nicht meine Revolution.

Wenn ich keinen Mist bauen kann, um daraus zu lernen, ist es nicht meine Revolution.

Wenn wir immer einer Meinung sein müssen, ist es nicht meine Revolution.

Wenn ich keine Fragen stellen darf, ist es nicht meine Revolution.

Wenn es nicht meine Entscheidung ist, welche Taktiken ich benutzen will, ist es nicht meine Revolution.

Wenn ich nicht femme sein kann, ist es nicht meine Revolution.

Wenn ich mir meine Freund*innenschaften nicht selbst aussuchen darf, dann ist es nicht meine Revolution.

Wenn meine Familie darin keinen Platz hat, ist es nicht meine Revolution.

Wenn meine Kultur darin keinen Platz hat, ist es nicht meine Revolution.

Wenn für meine Ahn*innen kein Platz ist, ist es nicht meine Revolution.

Und wenn es einfach nicht unsere Revolution ist, lasst uns eine neue schaffen.

du darfst sie verlassen

die beziehung. die freund*innenschaft. die partner*innenschaft. weil es nicht läuft. weil dey dich verletzt. weil du angst hast, demm zu verletzen. weil da kein vertrauen mehr ist. beziehungen sollten niemals auf angst basieren. niemals auf „dey bringt sich um, wenn ich demm verlasse". ein erwachsenes menschenleben ist zu viel. zu viel, als dass eine person es halten könnte. sag es mir nach. und nimm es dir zu herzen. wenn du gehst. wenn du den verlust betrauerst. wenn du wieder zu dir findest: verlassen ist nicht gleich missbrauch. den absprung schaffen ist nicht gleich missbrauch. freiheit ist nicht gleich missbrauch. freiheit ist niemals missbrauch.

Wir müssen die Ermächtigungskultur innerhalb der queeren Szene konfrontieren

Manchmal mache ich mir Sorgen, dass die queere Kultur eine Kultur der bedingungslosen Ermächtigung ist. Oder, um es etwas spezifischer und weniger direkt auszudrücken, eine „Kultur der Validierung“: eine Kultur, die viel Wert darauflegt, das Wort der betroffenen Personen für bare Münze zu nehmen und ihr Erleben immer zu berücksichtigen (d. h. die gelebten Erfahrungen, die sie nach eigenen Angaben machen). Vieles an diesem Umgang ist positiv – angesichts der Tatsache, dass der Standard in der Mainstream-/Hetero-Welt zumeist Abwertung, Entmachtung und Gaslighting bedeutet. Doch ich sehe den queeren Umgang mit Validierung, der in der Community die Norm zu sein scheint, als reaktiv und in vielerlei Hinsicht nicht als hilfreich an.

Meinen ersten Anschluss als Teenager in der Community fand ich als freiwillige Helferin in einer linksradikalen/queeren Krisenhilfe. Dort wurde ich offiziell in dieser Validierungskultur ausgebildet (manche würden sagen, indoktriniert). Wie viele andere junge Queers hatten sich schon viele Krisen und traumatische Ereignisse in meinem Leben abgespielt und ich suchte verzweifelt nach Strategien, damit umzugehen, da ich sie kaum einordnen konnte. Während mehrerer Intensiv-Workshops von insgesamt 40 Stunden lernte ich im Freiwilligen-Training, dass Validierung in Form von aktivem Zuhören das Wichtigste ist, das du als Unterstützer*in tun kannst. Dies bedeutete, die Erfahrung der betroffenen Person ohne Nachfrage zu bestätigen und davon auszugehen, dass die Person stets besser weiß, was gut für sie ist. Wort für Wort zu wiederholen, was sie gesagt hat. Nicht den Ton anzugeben oder deine Meinung zu teilen, und häufig mit „mhhmm“ zu antworten.

Leider vermittelte mir mein Training den Eindruck, dass Validierung der einzige wesentliche Teil meiner Arbeit als Unterstützerin sei, und setzte sich nicht weiter damit auseinander, dass Validierung auch befähigend (Anm. d. Ü. die Validierung von schädlichen Verhaltensmustern) oder nicht hilfreich sein kann. Dass es andere, komplexere Herangehensweisen der Validierung gibt, außer aktivem Zuhören, wurde ganz ausgeklammert. Außerdem wurde diese Methode politisiert, sprich: „Wenn du nicht alles anerkennst, was eine Person dir über ihre Erfahrungen erzählt, bist du beschissen, betreibst Gaslighting und wirst ihr lebenslange Schäden zufügen!“

In gewisser Weise ist diese Aussage richtig und beschreibt mehr oder weniger akkurat die Situation, in der ein*e unausgebildete*r Helfer*in, die*der in Akutgesprächen mit Fremden spricht, sich wiederfindet. Psycholog*in zu spielen und unaufgefordert halbgare Ratschläge in Krisensituationen auszuteilen, ist im Allgemeinen keine gute Idee (mach das bitte nicht!). Das Problem ist nur, dass diese Politisierung einer sehr spezifischen, starren Form der Validierung nun auf eine Vielzahl von informellen Situationen außerhalb der Krisenhilfe angewandt zu werden scheint.

Bei kleineren Konflikten habe ich das schon öfters in der Community gesehen, wenn es sich zum Beispiel um gemeinsamen Drogenkonsum oder selbstverletzendes Verhalten dreht. Während solcher Situationen treten Stress, emotionale Verletzungen und Traumata häufig aus tiefsitzenden Mustern auf. Personen schlagen um sich und Konflikte eskalieren. Es werden Drogen konsumiert, bis zu dem Punkt, an dem sie sich selbst und andere gefährden (ich glaube an den Nutzen von Schadensbegrenzung, aber Schadensbegrenzung bedeutet in der Regel nicht, bis zur Handlungsunfähigkeit zu konsumieren oder sich verantwortungslos/gewalttätig zu verhalten). In dem Versuch, unerträgliche Schmerzen zu bewältigen, verletzen Betroffene oft andere und sich selbst.

Ich konnte unzählige Male beobachten, wie Queers, denen es schwerfiel, Freund*innen und Leute aus der Community zu unterstützen, Validierung als den einfachsten und politisch korrektesten Ansatz anwendeten. Wir versichern den Betroffenen, dass sie immer recht haben, dass ihre Wahrnehmung von kleinen Konflikten als lebensbedrohlich den Tatsachen entspricht. Wir versichern ihnen, dass ihre Entscheidung und ihr Drogenkonsum keine Probleme darstellen, selbst wenn es uns oder andere extrem negativ beeinflusst. Wir versichern ihnen, dass sie am besten wissen, was gut für sie ist, und wenn selbstverletzendes Verhalten der einzige Weg ist, den sie vor sich sehen, um überleben zu können, dann ist das so und wird nicht weiter hinterfragt. Kurz gesagt, wir ermutigen schädliche Verhaltensmuster.

Ich glaube nicht, dass wir uns so verhalten, weil wir schlechte oder faule Menschen sind (obwohl es auch schlechte und faule Menschen in der Community gibt. Ich habe mich selbst oft genug nicht korrekt verhalten oder bin tatenlos geblieben). Ich glaube, wir verhalten uns auf diese Weise, weil uns die queere Gegenkultur beigebracht hat, auf diese Art Liebe zu zeigen. Denn die meisten unserer prägendsten Erfahrungen in der Familie, Schule und im Gesundheitssystem waren autoritär: „Ich weiß, was gut für dich ist. Es ist nur zu deinem Besten." Denn wir stellen die Vorstellung in Frage, dass Menschen, wenn sie die Wahl haben, immer das Falsche wählen (oder dass wir automatisch wissen, was für sie falsch ist). Und weil die direkte Rückmeldung zu Validierung meist sehr positiv ausfällt, und weil wir Konflikte scheuen.

Nach zehn Jahren übe ich mich immer noch darin, die Methoden von Validierung und aktivem Zuhören zu verlernen – denn ich will nicht nur aktiv, sondern auch aufmerksam, mitfühlend, kritisch und liebevoll zuhören. Und ich will, dass Freund*innen und Familie es mir gleichtun. Ich bin zu der Überzeugung gelangt, dass Unterstützung, oder zumindest die Art von Unterstützung, die aus liebevollen, langfristigen Beziehungen kommt, sich nicht nur durch Bestätigung/Validierung zeigt, sondern auch durch Erdung. Halt. Aufrichtigkeit. Durch die Bereitschaft, Konflikte einzugehen, mit dem Wissen, dass wir wieder aus dem Konflikt herausfinden werden. Manchmal möchte ich den Rat meiner Freund*innen einholen, denn ich weiß eben nicht immer, was das Beste für mich ist. Ich will wissen, wenn meine Freund*innen denken, dass ich etwas falsch mache.

Das, was ich über mein Leben in Worte fasse, gibt eher selten wieder, wie mein Leben wirklich aussieht. Wenn ich behaupte, ich sei wütend und wolle jemandem so richtig die Meinung geigen, meine ich damit eigentlich, ich habe Angst und ein Bedürfnis nach Sicherheit. Wenn ich in der Vergangenheit gesagt habe, dass ich sterben will, wollte ich einfach nur, dass mir jemand eine andere Art zu leben zeigt.

Ich glaube, in unseren menschlichsten Momenten, die zugleich unsere besten und fehlbarsten sind, rührt der Drang zu übertriebener Wertschätzung von der Angst her, Grenzen zu überschreiten und Traumata zu wiederholen. So hat es unser Selbst, das noch in der Entwicklung war, während einer Biografie von Missbrauch in der Familie sowie sozialer Unterdrückung gelernt. Ich bin mittlerweile davon überzeugt, dass stabile sowie revolutionäre Beziehungen Komplexität und Spannung aushalten können: In einer liebevollen Umgebung kann ich es aushalten, wenn eine befreundete Person mit mir nicht einer Meinung ist, wissend, dass ich ihr trotzdem wichtig bin. Ich weiß dann, dass ich ihren Ratschlag hören kann, ohne ihn annehmen zu müssen. Dass da genug Vertrauen zwischen uns herrscht, dass unsere Unterschiede uns nicht entzweien.

Ich suche nicht nach Bestätigung. Ich suche nach Liebe.

ist schmerz deine daseinsberechtigung

ist schmerz deine daseinsberechtigung
wie wesentlich ist leiden für mein selbstbild?
ist schmerz ein kostbarer diamant, geschürft aus den
kammern meines herzens?
muss ich siebenundzwanzig wörter für tränen kennen, um zu beweisen,
dass ich weiß, was weinen ist?
macht ein tragisches leben mich zu etwas besonderem?
wie viel muss ich mit anderen teilen, für einen trauma bond?
muss ich schmerzen haben, um mich lebendig zu fühlen?
würde ich auch kunst machen ohne diese unterdrückung?
gibt es sowas wie eine pädagogik der freude, und wenn ja, wo finde ich sie?

Genie, du bist frei!

Robin Williams, psychische Gesundheit, und wie wir über Suizid sprechen

Es ist eine verzweifelte Arroganz, durch die wir uns anmaßen, das Denken von Menschen, die ihr Leben beendet haben, zu kennen und zu beurteilen. Diese verzweifelte Arroganz ist es auch, die es uns ermöglicht, die gesellschaftliche Illusion aufrechtzuerhalten, dass die Welt, in der wir leben, ein grundsätzlich gerechter und geregelter Ort ist, dass die Fortschritte der westlichen Wissenschaft und Industrie für praktisch jedes Problem eine Lösung finden, und dass wir alles im Griff haben. Mit dieser Logik können wir die tiefgreifenden Auswirkungen, die Suizid auf unsere individuelle und kollektive Psyche hat, minimieren – sprich, es ist uns möglich, die Flut von Emotionen, die Suizid hinterlässt, zu benennen, zu diagnostizieren und dementsprechend zu kontrollieren.

Als Robin Williams im August 2014 starb, war es kaum überraschend, dass Nachrichtendienste überall mit jeder denkbaren Meinung, Spekulation und Debatte über seine viel diskutierten Probleme mit psychischer Gesundheit herfielen. Gleichzeitig posteten Millionen von Menschen Suizid-Hotlines auf Facebook, Twitter und anderen Online-Plattformen. Sie bloggten und rebloggten Artikel über psychische Gesundheit, während sie um den gefeierten Schauspieler-Comedian trauerten.

Tatsächlich erreichten die Reaktionen in den sozialen Medien solche Höhen, dass einige Kommentator*innen und Expert*innen für psychische Gesundheit besorgt waren über die Möglichkeit von „Nachahmungstaten". Diese Sorge galt besonders einem Tweet der Academy of Motion Picture Arts and Sciences, die ein Bild aus dem Disney-Film Aladdin von 1992 postete, mit der Unterschrift „Genie, du bist frei" (eine Anspielung auf Williams' ikonische Rolle als Genie in der Lampe). Größtenteils war diese Diskussion natürlich gut gemeint. Doch mit der Vielzahl von Artikeln, Facebook-Statusmeldungen, Tweets und Kommentaren, die meinen Newsfeed überfluteten, machte sich ein Gefühl von tiefem Unbehagen und Verunsicherung in mir breit: Angeblich war der Sinn dieser öffentlichen Diskussion über „psychische Gesundheit", einen der brillantesten Schauspieler unserer Zeit zu betrauern und zu ehren, doch der Mann selbst war verschwunden. Wo war er hin? Seine Stimme wurde vom Gebrüll des Publikums, das ihn verschlang, übertönt. Wie die Wünsche des Genies wurde die Absicht seiner letzten Entscheidung durch ein anderes, größeres Ziel überschattet: die „Ansteckung mit Selbstmord" einzudämmen und stattdessen die Botschaft zu verbreiten, dass Selbstmord eine Krankheit sei, die mensch unter Quarantäne stellen, einschränken und kontrollieren kann. Wenn wir manchen der Beiträge Glauben schenken wollen, die die öffentliche Wahrnehmung am meisten in ihren Bann zog, war es nicht Williams, sondern die Öffentlichkeit, die entschied, was die Ursache, Bedeutung und Nachfolge seines Todes gewesen waren – wie mit so vielen anderen Personen der Öffentlichkeit vor ihm. In einem weit verbreiteten Artikel wurde plakativ behauptet, „Robin Williams sei nicht an Selbstmord, sondern an Depressionen gestorben". Ein*e Autor*in der Zeitschrift *Psychology Today* bezeichnete ihn als „ein funktionierendes und produktives Mitglied der Gesellschaft, das sich aufgrund eines irrationalen Glaubenssystems, das ihn davon überzeugte, dass es keine andere Möglichkeit gab, seinen emotionalen Schmerz zu überwinden, für den Selbstmord entschied". (Welche Rolle Williams' „Produktivität" für diesen Diskurs spielt, ist mir immer noch nicht klar.)

So wurde Williams zu einem passiven Opfer psychischer Krankheit reduziert, einer psychologischen Statistik (wenn auch eine sehr berühmte), zu einem „irrationalen Glaubenssystem", zu einer zweizeiligen Sesseldiagnose. Doch der Robin Williams, den zwei Generationen von Zuschauer*innen so liebten, war alles andere als passiv gewesen – er schlug ein wie ein Blitz, besaß ein krachendes, gackerndes, teuflisches Lachen, war ein Gestaltenwandler, ein Schelm mit scharfem Verstand und Witz. Warum erzählten so viele von uns eine ganz andere Geschichte von ihm, nachdem er von uns gegangen war? Warum war diese Geschichte so verlockend?

Vielleicht lässt es sich auf die Spannung zwischen der Fantasie, die leicht verdaulich ist, und der komplexen Realität von Suizid herunterbrechen. Es ist so viel leichter und weniger beunruhigend, den Teil der rationalen Entscheidung zu verdrängen und zu sagen, wie ich es einmal in einem Workshop zu Suizidprävention gelesen habe, dass „sich niemand wirklich dafür entscheidet zu sterben."

So vermeiden wir, die schmerzhafte Frage zu stellen, warum jemand, den wir lieben, uns verlassen konnte. Wir können uns von der Möglichkeit abwenden, dass eine solche Entscheidung für manche unter uns nicht so undenkbar ist wie andere gerne glauben würden. Die Konsequenz dieses überzeugten Unglaubens ist die Beschämung und Bevormundung derjenigen, die sich mit dem Für und Wider des Lebens und Sterbens auseinandersetzen.

Die Schnittstelle zwischen Wahlfreiheit und Leiden ist ein vielschichtiges Terrain, und die reduktionistische Aussage, dass mensch sich nie dafür entscheidet zu sterben, beinhaltet auch, dass es verrückt ist, sterben zu wollen – niemensch „mit klarem Verstand" würde es bevorzugen, sein Leben zu beenden. Es wird ein System geschaffen, in dem es „normale" (nicht-suizide) Menschen und „abnormale" (psychisch kranke) Menschen gibt, wobei die letzteren „geheilt" werden müssen, um sie wieder in den Normalzustand einzugliedern. Demnach verstärkt diese Sicht auf Suizid, in der die Person „an Depression" oder „aufgrund irrationaler Glaubenssätze" gestorben ist, die Stigmatisierung, obwohl sie versucht, ihr ein Ende zu setzen.

Die Wahrheit ist, dass die allermeisten, wenn nicht sogar alle Menschen über Suizid nachdenken. Meiner Erfahrung als Sozialarbeiterin nach haben sie für gewöhnlich vielfältige, reale Gründe, die nicht von ihrer persönlichen Lebenssituationen zu trennen sind. Das bedeutet: Nur Robin Williams wird jemals wissen, warum er gestorben ist. Wir verunglimpfen sein Andenken, indem wir seiner Entscheidung unsere eigenen Interpretationen aufzwängen, indem wir die Tatsache missbrauchen, dass die Toten nicht für sich selbst sprechen können.

Williams wusste am besten über seine Erfahrung Bescheid, so wie wir alle uns mit unserem eigenen Leben am besten auskennen. Niemand sonst hat das Recht zu behaupten, seine Beweggründe, seine Gefühlswelt, seine Urteilsfähigkeit zu kennen. Es ist zwar bekannt, dass er mit Drogenabhängigkeit und Depressionen zu kämpfen hatte, aber woher sollen wir wissen, ob diese Probleme mit zwischenmenschlichen Konflikten, Traumata oder anderen Lebenserfahrungen zusammenhingen? All diese komplizierte, chaotische Menschlichkeit einfach zu übergehen, würde einem Mann, um den wir angeblich trauern und den wir respektieren, großes Unrecht antun.

Es ist verlockend, sich einer Denkweise zu verschreiben, die Depression als eine individuelle Krankheit ansieht, die in jedem Fall durch Therapie und mithilfe von Medikamenten geheilt werden kann – dann könnten wir dabei bleiben zu behaupten, dass er nicht gestorben wäre, hätten „wir ihm nur rechtzeitig geholfen", hätte er doch nur über seine Probleme geredet, hätte er doch nur psychische Gesundheitsfürsorge erhalten. In gewisser Weise ist da ja auch etwas Wahres dran. Menschen – alle Menschen – benötigen irgendeine Art psychischer Gesundheitsversorgung, ebenso wie viele andere Arten medizinischer Versorgung: Psychopharmaka, Psychotherapien und andere Arten von therapeutischer Behandlung. Doch die Wahrheit ist, Robin Williams war in Behandlung, er hat öffentlich über seine Probleme mit Abhängigkeit und Depression gesprochen. Er war ein reicher Mann, der Zugang zu medizinischen Ressourcen hatte. Er wurde sehr geliebt, und dennoch traf er diese Entscheidung.

Wir müssen uns die Frage stellen: Inwiefern befreit uns die Einstufung von Depression als körperliches Leiden als Gesellschaft von der Mitschuld am Selbstmord? Inwiefern erlaubt uns der direkte Bezug auf einen medizinisch geprägten Dialog über individuelle psychische Gesundheit, die Frage zu vermeiden, ob wir ein soziales, selbstmordgefährdendes Umfeld geschaffen haben? Suizid ist immer tragisch, doch er kann genauso häufig auf die Ungerechtigkeit und das Leid der Welt hindeuten, was damit zusammenhängt, wie wir miteinander umgehen. Kommentieren wir einen Fall von Selbstmord, egal welchen, mit: „Das ist aufgrund einer psychischen Krankheit passiert. Diese Person ist an einer Krankheit gestorben", dann sagen wir damit auch, dass die Person *nicht* an Missbrauch gestorben ist oder an Vernachlässigung, an Isolation, an einem entsetzlichen Einzelschicksal, an sozialer Unterdrückung, und an der Tatsache, dass das bloße Leben in diesen Zeiten fast immer extreme Herausforderungen mit sich bringt.

Lasst uns weiterhin Geschichten über Suizid erzählen - doch anstatt die Geschichten anderer zu übernehmen und ihnen ein bestimmtes Bild aufzudrücken, sollten wir uns die Komplexität, die Spannung und das schreckliche menschliche Elend, das sie mit sich bringen, anhören. Lasst uns diese Geschichten hören und akzeptieren, dass wir nie ganz verstehen werden, was einen Menschen dazu bewegt, leben oder sterben zu wollen. Lasst uns die Entscheidungen derjenigen, die kämpfen, und derjenigen, die den Kampf hinter sich gelassen haben, ehren und respektieren – selbst, wenn diese Entscheidungen dazu geführt haben, dass sie uns genommen wurden. Und lasst uns weiterhin daran arbeiten, zuzuhören, zu lieben, zu lachen – vor allem zu lachen und zu lieben, in der Hoffnung, dass eines Tages niemensch mehr eine solche Entscheidung treffen muss.

wenn du wieder mal verbotene gedanken denkst, such nach mir

wenn du wieder mal verbotene gedanken denkst, such nach mir

wenn du deine knochen in einer sprache voller gefahren
flüstern und fauchen hörst, dann mach dich auf

lass hinter dir die flackernden feuerkreise im dorf
die flüsternden stimmen und huschenden blicke

lass auch die bücher zurück, die theorie
die heiligen wörter und stählernen gesetze

verlasse die ordentlichen häuserreihen
die vergitterten fenster und verriegelten türen

breche den bann, von dem sie behaupteten, er sei sicherheit
entwirre die verstrickung, von der sie sagten, sie sei liebe

laufe zum wald, wo der weg sich windet
finde den ort, wo die hungrigen hausen

wo gestrüpp und gesträuch dir das blut aus der haut ziehn
und das geäst so wild ist wie dein haar

vergiss alles an diesem verlorenen ort
entsage deinem körper, deinen versprechen, deinem namen

vergiss nicht, mein kind, mit deiner wilden zunge
und deinem blutigen herzen
war überleben nie vorgesehen

du erkennst mein haus am geruch des zedernfeuers
an den puppen aus ton und brot, die in den bäumen hängen

dort triff mich an, inmitten der flammen
ich habe nur auf dich gewartet

wenn du wieder mal verbotene gedanken denkst, such nach mir

solltest du verbotene gedanken denken,
such nach mir

das ende deines für immer und ewig läutet die wahrheit ein

Lasst uns trans Frauen (sich) nicht länger umbringen

2016 wurde ich mehrmals um Unterstützung von Menschen aus der Community gebeten, jungen trans Frauen zu helfen, die selbstmordgefährdet waren. Dies geschah sowohl in meinem professionellen als auch privaten Umfeld. Natürlich wird die Arbeit schnell persönlich, wenn du ein Mitglied der Gruppe bist, mit der du als Sozialarbeiterin „arbeitest". In all diesen Situationen bemerkte ich ein durchgängiges Thema, das sowohl von den suizidalen Personen als auch den betreffenden Communitys geäußert wurde, was ich erschreckend und beunruhigend fand: Suizid als eine Tat der persönlichen Handlungsmacht, die von der „Community" unterstützt und respektiert werden solle.

Was so viel bedeutet wie: Wenn eine junge trans Frau sich umbringen will, heißt das, sie hat wirklich an alles gedacht und sieht keinen Ausweg mehr. Sie hat eine Entscheidung getroffen, in die wir uns nicht mehr einmischen sollten. Wenn sie um Hilfe bittet, um ihren Selbstmordplan effektiver zu gestalten, sodass sie weniger Schmerzen erleidet oder die Szene optisch ansprechender ist, dann sollen wir ihr diese Hilfe anbieten.

Ich übertreibe nicht.

Es gibt da ein paar unterschiedliche Stränge „radikaler Politik", die mit dieser Herangehensweise zusammenhängen. Konsenskultur und *Body Sovereignty* (Anm. d. Ü.: Politik der Körpersouveränität) sind die naheliegendsten. Diese Ausrichtung vertritt die Auffassung, dass Menschen das Recht haben, mit ihrem Körper und ihrer Gesundheit zu machen, was sie wollen, was auch selbstverletzendes Verhalten und Suizid miteinbezieht. Solange sie nicht in lebenserhaltende Maßnahmen einwilligen, hat die Community kein Recht, einzuschreiten.

In diesen Ansatz sind bestimmte Strömungen des *Mad Pride* (Anm. d. Ü.: Eine Bewegung von Psychatrieerfahrenen, die 1993 in Toronto gegründet wurde) und des anti-ableistischen Denkens eingeflochten, die Machtdynamiken innerhalb eines Systems kritisieren, welches Vernunft-basierte, rationalistische und/oder institutionelle Sichtweisen durchsetzt. Diese zielen darauf ab, dass leben besser ist als sterben, für Menschen, die suizidal sind.

Zu guter Letzt ist da noch die allumfassendere Kritik an Suizidintervention als eine opferbeschuldigende Ausprägung einer Gesellschaft, die trans Frauen (und alle anderen marginalisierten Menschen in unterschiedlichem Ausmaß) kontinuierlich angreift und erniedrigt und sie dann wegen ihrer Selbstmordgefährdung medizinisch behandelt, beschämt und weiter verletzt. Von Seiten radikaler Politik wird in diesem Sinne Suizidalität dann als eine natürliche, verständliche und sogar politisch wirksame Reaktion auf eine Gesellschaft dargestellt, die das Leben in Erniedrigung verwandelt.

Das letzte Argument betrifft mich persönlich am meisten. 2014 schrieb und veröffentlichte ich sogar einen Artikel, in dem ich argumentierte, dass die Gesellschaft schutzbedürftigen Personen angemessene Zuwendung verweigert, sie dadurch dazu bringt, Suizid zu begehen, um sie daraufhin für ihren Tod verantwortlich zu machen.

Ich stehe immer noch zu der Meinung, die ich in diesem Artikel geäußert habe, dass Selbstmord eine nachvollziehbare Reaktion auf Leid ist, sowohl auf politischer als auch persönlicher Ebene. Aber ich bezweifle wirklich, ob ich es verantworten kann, dass ich einen solchen Artikel in einem Klima veröffentlichte, in dem Selbstmord unter trans Frauen und queeren Menschen sich als eine anhaltende Epidemie zeigt. Jede junge queere und/oder trans Person, mit der ich zusammengearbeitet habe, hat zu irgendeinem Zeitpunkt in ihrem Leben schon mal über Selbstmord nachgedacht, die Mehrzahl mit durchdachtem Plan oder gescheiterten Versuchen unter dem Gürtel.

Ich bin mir unsicher – und in gewisser Weise bereue ich es, denn ich denke, dass hinter all den scheinbar politischen Argumenten für das passive Zulassen - oder in einigen Fällen sogar das aktive Unterstützen - der Selbstmorde von trans Frauen wirkmächtige theoretische und emotionale Einflüsse stecken, die die Trauma-Geschichte unserer (queeren, trans, rassifizierten) Communitys und die starke innere Zerrissenheit in Bezug auf die Art und Weise, wie wir Beziehung eingehen und Fürsorge verstehen, widerspiegeln. Ich glaube, der Gedanke, dass wir trans Frauen bei ihrer Entscheidung, sich umzubringen, unterstützen müssen, in anderen Worten, sie sterben lassen, daraus entsteht, wie wir Liebe verstehen und fühlen.

Die Argumente, die *Body Sovereignty* und Konsens betreffen, sind meiner Meinung nach stellvertretend für ein falsches Verständnis, was Pflege (die Hilfeleistung) und Fürsorge (das Gefühl, umsorgt zu werden) bedeuten. Das verbreitete (weiße, koloniale) queere/trans Narrativ der „richtigen" Zustimmung, was es bedeutet, umsorgt zu werden, sieht ungefähr so aus: Eine Person teilt dir mit, dass sie Schmerzen hat, oder du bekommst davon mit. Du bietest deine Hilfe an. Wenn sie nicht darauf eingeht, ziehst du dich ohne weitere Fragen zurück. Jeder weitere Versuch, Hilfe anzubieten, könnte als grenzüberschreitend betrachtet werden.

Diese Darstellung ist für mich von großer Bedeutung. Sowohl *Body Sovereignty* als auch die Politik rund um Konsens stammen aus Bewegungen, die sich mit medizinischer Versorgung und sexueller/romantischer Intimität befassen. Ich glaube allerdings, dass auch dieser Ansatz von traumatischen Erfahrungen herrührt: Er ist der Ursache geschuldet, dass viele queere und trans Personen

Erfahrungen mit Missbrauch in der Familie und in Partner*innenschaften gemacht haben, in denen wir nichts abschlagen und die wir nicht verlassen konnten. Deshalb ist unsere Reaktion darauf, uns dem anderen Extrem zu verschreiben: Wir bringen Menschen dazu zu gehen, ohne eine Verweigerung von Liebe in Frage zu stellen, selbst wenn wir sie dringend brauchen.
Als Sozialarbeiterin und Psychotherapeutin in Ausbildung hatte ich eine sehr selbstgerechte Einstellung und ließ alle wissen, dass ich diese Herangehensweise des Konsenses/der Fürsorge unter meinen Peers durchsetzen wollte. Doch als ich anfing, als Familientherapeutin in einem psychiatrischen Krankenhaus zu arbeiten (das komplette Gegenteil zu einem queeren und anarchistischen Umfeld), konnte diese Arbeitsweise nicht lange standhalten.

Im Zuge meiner Arbeit mit Familien hatte ich oft mit sehr jungen Kindern zu tun (manche waren sogar erst 4 Jahre alt), die extrem wütend und emotional unausgeglichen waren, aufgrund von Trauma-Erfahrungen oder anderen Stressfaktoren. Damit meine ich, sie waren so wütend, dass sie Möbel zerstörten und Gleichaltrige sexuell/körperlich belästigten. Diese Kinder brachten oft Selbsthass sowie den Wunsch zu sterben zum Ausdruck. Während der Therapiesitzungen sagten sie häufig zu ihren Eltern, dass sie „für immer weglaufen würden".

In den meisten Fällen waren die Eltern besorgt und fürsorglich, wussten jedoch nicht, wie sie auf ihre Kinder eingehen sollten und fragten daher mich um Rat. Aufgrund meiner eigenen klinischen Ausbildung und der Erzählungen von Queers schlug ich ihnen vor, ihren Kindern zu sagen, dass es in Ordnung sei, wütend zu sein, dass sie wütend sein dürfen, und dass sie, wenn sie tatsächlich weglaufen, immer ein Zuhause haben, zu dem sie zurückkehren können, wenn sie wollen. Ich glaubte, dass es sich dabei um eine Zustimmung handelte, eine Umsetzung der sicheren Bindung - das angeborene, unerschütterliche Wissen, dass mensch geliebt wird und einen „sicheren Ort" hat, der immer da ist –, die in der Kinderpsychologie so geschätzt wird.

Meine Vorgesetzte (Therapeutin-Ausbilderin) stimmte meiner Intervention zu, meinte aber auch, dass ich ein wichtiges Element übersehen hätte: Ich hätte diese Eltern auch anweisen sollen, ihrem Kind zu vermitteln, dass sie es suchen und wieder nach Hause bringen würden, wenn es weglaufen sollte.

Diese Aussage hatte eine tiefgreifende emotionale Auswirkung auf mich. In der Queer-Community wurde uns sowas nicht beigebracht – dass Liebe und Fürsorge auch bedeuten können, einem Menschen zu folgen, selbst, nachdem eine Zurückweisung stattgefunden hat. Dass es bedeuten kann, Hilfe anzubieten und damit zu scheitern, wieder Hilfe anzubieten und erneut damit zu scheitern, und das immer wieder.

Dass Verlassenwerden und Zurückweisung durch jemanden, der unter Schmerzen leidet – ob Kind oder Erwachsener – ein Weg sein kann, herauszufinden, wie sehr sich jemensch für dich einsetzen wird, nicht nur, um sicherzustellen, dass du überlebst, sondern um deine Lebensumstände zu verbessern.

An dieser Stelle bricht für mich auch der anti-ableistische Anteil des „unterstützter Suizid"-Arguments zusammen. Es ist möglicherweise ableistisch, die selbstgewählten Gründe eines Menschen, der sich für Suizid entscheidet, zu verwerfen, aber es ist genauso ableistisch zu erwarten, dass jeder Mensch in einer Krise oder unter Schmerzen fähig ist, ihre*seine Bedürfnisse deutlich und nachvollziehbar auszudrücken. Die Annahme, dass es ausreicht, einmal oder sogar zweimal um Zustimmung zu bitten, um festzustellen, ob jemensch Hilfe braucht oder will, ist ableistisch.

Und was die Selbstmorde von trans Frauen innerhalb eines trans-misogynen Gesellschaftssystems angeht, so glaube ich nicht, dass die „Unterstützung der Handlungsfähigkeit beim Selbstmord" tatsächlich eine berechtigte Gegenposition zu diesem Gesellschaftssystem ist. Ganz im Gegenteil, für mich ist das eher der ultimative Ausdruck einer Wegwerfkultur. Es erlaubt uns, unter dem Deckmantel des Mitgefühls und radikaler Politik Untätigkeit zu verschleiern, angesichts eines Massenleidens und -sterbens. Es ist nicht radikal, trans Frauen dabei zu unterstützen, zu sterben, wenn wir sowieso die ganze Zeit ermordet werden. Es ist nicht revolutionär, einfach zu akzeptieren, dass die Gesellschaft so schrecklich ist, dass junge trans Frauen sich lieber umbringen.

Schließlich sind wir diese Gesellschaft, in der trans Frauen leben, die ihnen vermittelt, ob das Leben lebenswert ist oder nicht. Es liegt an uns, die Bedingungen zu verändern, andere Möglichkeiten aufzuzeigen, immer wieder Hilfe anzubieten und zu signalisieren, dass wir nicht aufgeben werden, uns um sie zu kümmern und sie zu lieben.

Wenn eine junge trans Frau sich entscheidet zu sterben, dann ist das ihre Entscheidung und ich werde sie nicht dafür verurteilen oder pathologisieren. Aber es besteht ein verdammt großer Unterschied darin, jemanden für Suizid zu verurteilen oder zu pathologisieren und Mitschuld daran zu tragen.

Die Wahrheit ist, gäbe es nur die geringste Chance, dass sich etwas zum Besseren wendet, würden sich die meisten von uns für das Leben entscheiden.

liebste göttin

liebste göttin
im himmel
ich bin‘s
wie geht‘s dir und deiner frau
tochter der vulkane
und deinen liebhabern, den zwillingen?
die gestirne
sind sie wohlauf?
göttin
ich weiß ja, es ist ewig her
seit ich mich gemeldet hab
angerufen
oder vorbeigekommen bin
ganz ehrlich, meine göttin, also
ich war bisschen angepisst,
also, sogar sehr
na, wegen dieser sache
als du mich hast sitzen lassen
als ich dich brauchte
an jenem tag
mit dem spiegel und dem gift
den laken, der rasierklinge
diese nacht, in tiefrote sterne getränkt
göttin, ich war so wütend
du hast mir die welt versprochen
schöne kleider, goldene lippen
großartige gedichte
belebte straßen, so groß und weit
wie im paradies
und ich hab dir alles geglaubt
bin von zu hause weg
für dich ausgerissen
als ich dich wirklich brauchte,
warst du einfach nicht mehr da

liebste göttin
du hast mir das herz gebrochen
doch lang ist‘s her

fühlt sich an wie 'ne ewigkeit
ich glaube
das lassen wir hinter uns
ok, göttin?
wir waren jung
und kopflos
ach, und wo wir gerade
dabei sind
muss ich dich
um etwas bitten.
göttin, deine tochter ruft.
beim duft nächtlicher zigarettenpausen
beschwöre ich dich
beim prisma ölverschmierter straßen
frage ich dich
beim vergossenen blut derer, die vor uns kamen
bitte ich dich:
rette die jungen queers
jene unbesungenen wortgewaltigen
lyrik-besessenen
diese jungen
überlebenden, geschichten-verschlingenden
be-geisterten
gib ihnen deine liebe
und bezeuge sie
lass die ältesten sprechen
so gut es geht
durch das unreine medium
meines körpers
(ganze sechsundzwanzig jahre alt)
und lass das leben durch sie ertönen
höre mein gebet!
schütze diese jungen queers
lass sie nicht sterben
göttin
zwing mich bitte nicht,
sie zu grabe zu tragen

Teil 2
LASST UNS LIEBEN

Chroniken einer angekündigten Vergewaltigung

Die queere Community zur Rechenschaft ziehen

Wenn junge Fags, Dykes und Transen von einer queeren Community träumen, träumen wir von einem sekulären und doch sakralen Ort: was so viel bedeutet wie, wir träumen von einem „Safe Space", wie es viele Aktivist*innen heutzutage gerne nennen. Die queere Community, wie sie in unserer kollektiven Vorstellung existiert, ist ein sicherer Ort für unsere Körper und Seelen. Er hält Platz für einen unendlichen Regenbogen verschiedenster sexueller und Gender-Ausdrucksformen. Dieser Traum hält uns am Leben: der Traum einer Heimat ohne Grenzen, ein Ort im Dazwischen, voller Glitzer, gratis Kondomen, Drag Queens und Magie. In diesem fabelhaften, ausgedachten Queerlandia stellen wir uns vor, dass niemensch ausgebeutet, verprügelt oder misshandelt wird. Keine Person wird zurückgelassen. Keine Person wird ignoriert. Unsere Politik in Queerlandia ist *woke* und unsere Worte revolutionär. Wir können uns ungehemmt selbst lieben und andere – aber vor allem geliebt werden. Queerlandia ist ein Dorf, das Village, das Ideal. Wir stellen uns vor, dass uns hier alle Möglichkeiten offenstehen und niemals etwas Schlimmes passieren wird.

Natürlich leben wir nicht wirklich in Queerlandia, auch wenn es einige echte Dörfer und Stadtteile dieser Art und andere queere Orte gibt, offline wie online. Wahrhaftige queere Communitys sind voller verletzter Träumer*innen – wie sollte es auch anders sein? Und weil wir so verletzt sind, sind wir nicht auf die schlimmen Dinge, die zwischen uns passieren, vorbereitet – wie wir darüber sprechen sollen, wie wir es aushalten oder uns davon erholen und heilen können. Wir wissen nicht, wie mensch eine schwierige Unterhaltung führt, wie wir uns sowohl mit Liebe als auch Gerechtigkeit begegnen können. Entweder du gehörst Queerlandia an oder nicht. Ein Dazwischen gibt es nicht.

Vielleicht ist das ja der Grund, warum wir uns so selten mit uns selbst und unserer eigenen Schuld auseinandersetzen, wenn etwas Schlimmes passiert. Der Grund, warum wir so bereitwillig diejenigen, die den Schaden angerichtet haben, als Monster brandmarken. Was ist eigentlich ein Monster? Eine Kreatur aus der Zwischenwelt – zwischen Fantasie und Wirklichkeit, Gut und Böse, heilsam und verletzend. Wir machen Monster aus Dingen, die wir im Spiegel zu sehen fürchten.

Mit ungefähr neunzehn war ich in einen schwulen Jungen namens Cory verliebt (nicht sein echter Name). Cory war *weiß*, muskulös und wunderschön. Weil ich mich der Öffentlichkeit damals noch als tuntiger, asiatischer Junge präsentierte (das untere Ende der Sexhierarchie bei schwulen Männern), bezweifle ich, dass er bemerkte, wie hoffnungslos schwermütig ich in ihn verknallt war. Vielleicht hatte er Anstand genug, es einfach nicht zum Thema zu machen. Cory war in einen anderen *weißen*, schwulen Jungen namens Jonathan verliebt (auch nicht sein richtiger Name).

Cory und Jonathan hatten eine qualvoll leidenschaftliche Beziehung, die mir damals romantisch vorkam. Ihre explosiven Streitereien und Eifersuchtsattacken schienen der Beweis dafür zu sein, dass sie wirklich ineinander verliebt waren. In der Welt, aus der ich kam, waren Liebe und Wut eng miteinander verbunden, fast schon gleichbedeutend. Ich weiß, dass es nicht nur mir so geht. Denn das ist doch die Nachricht, die bei queeren Kindern ankommt, wenn ihre Eltern sie bestrafen: *Jetzt sieh dir nur an, wozu du mich getrieben hast. Das ist doch nur zu deinem Besten. Mir tut das mehr weh als dir.*

Ich habe viel Zeit mit Cory verbracht, weil ich unbedingt mit ihm befreundet sein wollte, in der Hoffnung, er könnte sich eines Tages doch für mich interessieren. Stattdessen machte er mich zu seiner Vertrauten und wir bauten eine einseitige Beziehung auf, in der ich ihn unterstützte. Eine Beziehung, wie Männer sie sehr häufig mit Frauen eingehen. Als ich Cory zuhörte, wie er über seine Vergangenheit sprach, den Missbrauch in seiner Familie, seine Hoffnungen und Ängste, wurde mir immer klarer, dass auch er seine Schwierigkeiten hatte, zwischen Liebe und Wut zu unterscheiden. Liebe und Wut. Liebe und Schmerz. Liebe und Gewalt. Vielleicht würde er ja eines Tages erkennen, dachte ich total naiv, dass wir Seelenverwandte sind. Und wir würden uns gegenseitig heilen.

Eines Tages traf ich mich mit Cory in seiner Wohnung in der Innenstadt von Montreal, nachdem er sich mal wieder mit Jonathan gestritten hatte. Perverserweise empfand ich eine Art schamvollen Stolz, dass ich die erste Person war, die er nach solchen Konflikten anrief, dass nur ich ihm den Trost geben konnte, den er brauchte. Mich um andere zu kümmern, war schon immer meine erste und stabilste Liebessprache gewesen, was mich oft in Schwierigkeiten gebracht hat. Cory hat mal gesagt, ich wäre sehr „mütterlich", und dieses Kompliment ließ mich erniedrigt im Boden versinken, da es mich indirekt asexuell für ihn machte. Ich wollte doch nicht seine Mutter sein, sondern seine Liebhaberin.

Ich kam bei Cory an und klingelte. Ich stieg die lange, gewundene Treppe hinauf bis zu seiner Wohnung im dritten Stock. Die Tür stand sperrangelweit offen. Im Wohnzimmer herrschte Chaos, umgekippte Möbel, Sachen überall verstreut. Cory saß weinend im Schlafzimmer. Ich ging zu ihm und setzte mich neben ihn aufs Bett.

„Was ist los?“, fragte ich. „Was ist passiert?“

„Jonathan ist fremdgegangen“, sagte er weinend. „Wir haben uns gestritten. Ich habe ihm gesagt, er soll abhauen, aber er ließ nicht locker. Also hab ich ihn rausgeschubst, und er … ist die Treppe runtergefallen.“

Ich sagte nichts. Ich fühlte auch nichts, nur eine vage, kühle Distanz, so wie immer, wenn schreckliche Dinge passierten. Bis heute ist das Erste, was ich wahrnehme, wenn ich in der Straße angegangen werde oder einen Schrei höre eine tiefe, todstille Ruhe.

Plötzlich kippte die Stimmung, Cory drehte sich ruckartig zu mir um und sagte mit lauter, zittriger Stimme: „Er hat sich auch mit mir angelegt.“ Als wollte er sich vor mir rechtfertigen, obwohl ich kein Wort gesagt hatte. „Er tut mir andauernd weh, aber er ist immer fein raus, weil er nur meine Gefühle verletzt. Kein Mensch sieht, was er mir antut. Sie sehen nur, was ich ihm antue.“

Wieder ging ich nicht darauf ein. Ich habe mich nie zu der Gewalt in Corys Beziehung geäußert, auch wenn er vielleicht wusste, was ich davon hielt. Es wäre keine Überraschung zu erfahren, dass Cory schon immer einfühlsamer war, als ich es ihm zugetraut habe. Nach der ganzen Sache hielt unsere Freundschaft nicht mehr lange.

Wenn es eine Geschichte auf der Welt gibt, die ich richtig erzählen will, dann diese. In meiner Kindheit war Lügen das Einzige, was mir dabei geholfen hat zu überleben. In ihrem Memoir, *How Poetry Saved My Life*, schreibt die lesbische Dichterin und Verfechterin von Sexarbeit, Amber Dawn: „Lügen ist das Handwerk derer, die gelernt haben, dass ihre Wahrheiten nichts wert sind.“ Ich habe mein gesamtes Erwachsenenleben damit verbracht, nach der Wahrheit zu suchen. Eine Wahrheit, die du aussprechen musst, weil du sonst stirbst. Eine Wahrheit, die dich umbringen könnte.

Ich habe außerdem nach den Antworten auf diese Fragen gesucht: *Warum passieren schlimme Dinge? Warum verletzen verletzte Menschen andere? Warum lassen wir es zu? Wie können wir es aufhalten?* Diese Fragen stellt kein Mensch in Queerlandia. Denn wenn wir es tun würden, würde Queerlandia, so wie wir es kennen, aufhören zu existieren.

Gabriel García Márquez’ Klassiker *Chronik eines angekündigten Todes* stellt Fragen an die kolumbianische Gesellschaft, die meinen sehr ähnlich sind. In der Novelle wird ein Mann namens Santiago Nasar von den Zwillingsbrüdern Vicario ermordet, um die Entjungferung ihrer jüngeren Schwester Angela zu rächen. Weder Angela noch der Erzähler der Novelle offenbaren, ob die Entjungferung einvernehmlich passierte oder nicht, doch Nasars Schuld an dem genannten Vergehen wird durch die Ereignisse des Buches in Frage gestellt.

In der Form eines Kriminalromans, bricht *Chronik eines angekündigten Todes* mit den Konventionen des Genres, da es die Umstände und Identität der Mörder bereits im ersten Kapitel aufdeckt.

Jedes der darauffolgenden Kapitel befasst sich aus der Sicht verschiedener Bewohner*innen mit den Ereignissen, die zu dem Mord geführt haben. Es wird nach und nach enthüllt, dass fast das ganze Dorf über die mörderischen Pläne der Brüder Bescheid wusste, doch keine*r hinderte sie aus verschiedensten Gründen daran, ihren Plan zu verwirklichen: Bequemlichkeit, Ehre, Angst, Faulheit, Dummheit und Bösartigkeit. Manchmal plaudern die Vicario-Brüder allem Anschein nach absichtlich über ihr Vorhaben, in der Hoffnung, ihnen käme jemensch auf die Schliche, was jedoch nicht eintritt. Und so wird Nasar brutal ermordet, die Brüder kommen ins Gefängnis, und Angela verbringt den Rest ihres Lebens in Ungnade.

Chronik eines angekündigten Todes bietet uns eine Orientierung für die Fragen, die ich der queeren Community stelle, in der ich aufgewachsen bin und in der ich mich bis heute bewege. Es sind Fragen über das Wesen von Gewalt und über die kollektive Verantwortlichkeit für die Gewalt, die durch die sozialen Normen der fiktiven Stadt in *Chronik eines angekündigten Todes* wie auch der queeren Community verdeckt werden.

Márquez konzentriert sich auf die Begriffe der Ehre und des gewaltsamen Todes, aber ich finde mich in einer etwas anderen, wenn auch ähnlichen Situation wieder. In der queeren Community wissen wir, warum unsere Leute sterben: Homofeindlichkeit und Transfeindlichkeit bringen uns tagtäglich um, Fremde ermorden uns, Familie und Staat verwehren uns lebenswichtige Ressourcen wie medizinische Versorgung und Unterkunft. Was wir aber nicht wissen, ist, warum wir uns gegenseitig verletzen – körperlich, psychisch und sexuell.

Ein paar Jahre, nachdem Cory seinen Freund die Treppe runtergeworfen hatte, war ich ganz in der queeren Punkszene Montreals angekommen. Mehr als in irgendeiner anderen Stadt, die ich kenne, ist Montreals queere Community stark von anarchistischem Punk geprägt – eine Lebenseinstellung, die autoritäre Herrschaftsformen wie den Nationalstaat schmäht und freudig in einer hemmungslosen Entfaltung von Genuss und Sexualität schwelgt. In Montreal bedeutet queer sein punk sein, feministisch sein, anti-kolonial sein, Sex-und-Drogen-positiv sein (zumindest theoretisch). In Montreal geht die kollektive Vision von Queerlandia ganz auf, in all ihrer funkelnden, glitzernden Pracht.

In Montreals queerer Community wird Sicherheit und Rechenschaft oft so diskutiert, als ob wir in einer Endlosschleife feststeckten. Immer wieder aufs Neue sichern wir jedem Mitglied der Community sein Recht zu, frei von Missbrauch und Gewalt jeder Art in Partner*innenschaften zu leben, und wir verurteilen all jene, die diese Art von Schaden verursachen könnten.

Wir geben öffentlich bekannt, dass wir auf unseren Partys, politischen Workshops, Demonstrationen oder bei gemeinnütziger Arbeit Täter*innen nicht willkommen heißen. Die Namen dieser Täter*innen werden über das Flüsternetzwerk, halbprivate Online-Dokumente und manchmal auch über öffentliche Aufrufe in den sozialen Netzwerken verbreitet. Täter*innen sind in Queerlandia nicht willkommen.

Aber was ist mit den Menschen, die sowohl Überlebende als auch Täter*in sind?

Zu dieser Zeit hatte ich einen Freund, den ich Ronan nennen werde. Ronan war ein junger Mann Ende zwanzig, dem für eine Weile die ganze queere Szene aus der Hand zu fressen schien. Zum einen war er wunderschön. Zum anderen war er richtig gute Gesellschaft – zum Schreien komisch, so, wie wir es lieben. Er konnte wahnsinnig gut tanzen und hauchte jeder Party Leben ein.

Ich liebte Ronan wie einen Bruder, und er erwiderte meine Liebe. Ich glaube, weil ich im zuhörte, auch wenn er mal nicht zu Scherzen aufgelegt war. Wir gingen zusammen auf Partys, nahmen zusammen Drogen, machten es uns auf meiner Dachterrasse in der flirrenden Sommerhitze Montreals bequem und schlürften Limonade mit Schuss. Er erzählte mir von der Missbrauchsgeschichte aus seiner Kindheit und ich ihm von meiner.

Die Sache mit Ronan war nur, sobald er angefangen hatte zu trinken oder Drogen zu nehmen, konnte er nicht mehr damit aufhören. Dann wurde er oft richtig gemein, besonders wenn es mal nicht nach seiner Nase lief. Einmal wollte ich mich von ihm verabschieden, um Zeit mit meinem Freund zu verbringen. Ronan lachte gehässig und schlug mir auf die Brust, so hart, dass ich mein Gleichgewicht verlor und keine Luft mehr bekam.

Einen Moment lang erstarrte ich vor Schreck. Doch dann verpasste ich ihm mit einer teilnahmslosen Geistesgegenwart, die mich schon mein ganzes Leben lang überkam, wenn ich eigentlich Wut oder Angst verspüren sollte, eine Ohrfeige und sagte: „Ich liebe dich, aber wenn du mich noch ein einziges Mal schlägst, schwöre ich dir, dass ich mich so lange wehre, bis du damit aufhörst."

Erst jetzt, wo ich es aufschreibe, fällt mir wieder ein, dass ich das Gleiche mit sechzehn zu meinem Vater gesagt habe. Ob Ronan es wohl jemals zu seinem gesagt hat?

Liebe und Wut. Liebe und Schmerz. Liebe und Gewalt. Queers kennen die Beziehung zwischen diesen Gefühlen besser, als wir es jemals zugeben würden. Ich schätze, das ist auch der Grund, warum sich meine Freundschaft mit Ronan so normal angefühlt hat.

In Queerlandia wird Gewalt normalisiert und dadurch unsichtbar gemacht, bis sie es ganz plötzlich nicht mehr ist. Bis eine Person mit genug Freund*innen und sozialem Status sich bemerkbar macht und sagt: „Diese Person hat mir wehgetan." Meistens reicht es allerdings nicht aus zu sagen, dir habe jemand wehgetan, damit dir geglaubt wird. So stark wirken sich unsere Bemühungen aus, die Illusion, die glamouröse Fantasie unserer Community um jeden Preis aufrechtzuerhalten. Wir sind doch schon so rar gesät, und die, die uns am Boden sehen wollen, sind so viele. Das Leben ist doch schon so schwer und voller Gefahren. Es ist immer leichter, wegzuschauen, so zu tun, als ob wir nicht sehen würden, was direkt vor unseren Augen passiert.

Wenn du willst, dass man dir Gehör schenkt und glaubt, was du sagst, musst du eine Sprache benutzen, die voller Trauma, Krise und schwerwiegendem Schaden ist. Die lesbische Autorin und Theoretikerin Sarah Schulman spricht über diesen Prozess als Eskalation, bei der das Leid von Einzelpersonen nicht ernst genommen wird, es sei denn, es wird durch eine Sprache von Extremen zum Ausdruck gebracht. Schulman behauptet, dass dies zu einer übertriebenen Darstellung von Schaden führen kann, eine sehr umstrittene These in der queeren Community.

Als Community neigen wir dazu, nur auf extremen Schaden zu reagieren, der explizit benannt wurde, während wir die subtileren Formen, in denen Schaden vorkommt und sich verschärft, außer Acht lassen. Wir kennen uns nicht damit aus, wie destruktive Beziehungen zustande kommen oder wie sie sich entwickeln. Wir können die frühen Anzeichen für Gewalt nicht erkennen und wir kennen auch keine Handlungsstrategien, die dabei helfen könnten einzugreifen, bevor etwas sehr Schlimmes oder Traumatisches passiert. Wir bemerken erst dann gewaltvolle Personen, wenn der Schaden bereits angerichtet wurde. Und zwar dann, wenn es keine andere Möglichkeit mehr zu geben scheint, als diese Menschen aus der Community zu vertreiben.

Das führt dazu, dass wir alles vermeiden, was mit verletzendem Verhalten zu tun hat und gleichzeitig davon besessen sind. Wir versuchen, uns so weit wie möglich von jeglicher Art von Gewalt zu distanzieren. Es ist absolut unvorstellbar, über uns selbst oder die, die uns nahestehen, als möglicherweise gefährlich nachzudenken, oder dass sie anderen Schaden zugefügt haben könnten. Denn wenn wir das tun würden, ginge uns Queerlandia verloren, und damit würden wir alles verlieren.

Etwas später im selben Jahr gingen Ronan und ich mit einer Gruppe Queers etwas trinken, die als Aktivist*innen und Akademiker*innen einen gewissen Berühmtheitsgrad besaßen – zumindest in Queerlandia. Sie alle waren überzeugte Feminist*innen, die regelmäßig über Themen wie Konsens, queere Beziehungen und Gewalt sprachen.

Ronans Freund Keith, ein *weißer* Typ, war ebenfalls einer dieser berühmten, queeren Aktivist*innen. Ich wusste, dass er und Ronan häufig mit Konflikten zu kämpfen hatten – Ronan wuchs arm und rassifiziert auf, Keith hingegen *weiß* und sehr reich. Es musste zu Konflikten kommen, die dem Ungleichgewicht sozialer und finanzieller Macht zugrunde lagen, gegen das Ronan protestierte. Darin hatte er stets meine Unterstützung, denn ich wusste, was es bedeutete, die marginalisiertere Person in einer Beziehung zu sein, das *geringere* Mitglied in einer Partner*innenschaft.

An diesem Abend stritten sich die beiden. Wie bei den meisten Streitereien mit Ronan, ging es zunächst langsam zu, bis es dann plötzlich knallte. Auf den Straßen von Montreals North End stritten sie sich, bis Ronan ganz ohne Vorwarnung der Faden riss und er seine Faust in Keiths Gesicht rammte. Ich hörte den Aufprall, wie die Luft aus Keiths Lunge wich. Sah, wie sich seine Augen weiteten, sein Gesicht errötete, das Blut aus seinem Mund auf den Asphalt spritzte und unter den Straßenlaternen nur schwarze Tropfen hinterließ.

Plötzlich musste ich wieder an Cory und Jonathan denken. Ich hatte mir geschworen, wenn ich das nächste Mal Gewalt in Paarbeziehungen miterleben würde, etwas dagegen zu tun. Außerdem war ich dieses Mal noch nicht mal allein – ich war verdammt noch mal umgeben von berühmten, queeren Aktivist*innen, alle mindestens zehn Jahre älter und viel erfahrener als ich. Sie würden schon wissen, was zu tun wäre, dachte ich.

Keine*r von ihnen unternahm irgendetwas.

Einige Zeit später fragte ich einen der berühmten, queeren Aktivist*innen, was er von der Nacht gehalten hatte.

„Ich finde, was Ronan da gemacht hat, war nicht okay", sagte ich.

Er stand mit gesenktem Blick vor mir. Seufzte tief. „Ja, also", sagte er, „ich versuche, nicht so viel drüber nachzudenken."

Während meiner ersten Erfahrungen mit der queeren Community wurde mir beigebracht, dass eigentlich immer der*die Täter*in Verantwortung für Gewalt in Paarbeziehungen trägt, anstatt der*die Überlebende. Diese Botschaft, die mir von den Menschen, denen ich vertraute, immer wieder eingetrichtert wurde, ist ein Kernbestandteil des Glaubenssystems der queeren Communitys, zu denen ich gehöre. Ich denke auch immer noch, dass das stimmt, zumindest auf der einen Seite. Auf der anderen frage ich mich jedoch, ob es andere Blickwinkel gibt, die wir übersehen, wenn wir uns nur darauf konzentrieren, dass Gewalt in Paarbeziehungen eine individuelle Entscheidung einiger weniger Monster ist, anstatt sie als Teil eines systematischen Problems zu verstehen, an dem wir alle beteiligt sind.

Nur um das klarzustellen: Überlebende von sexuellen Übergriffen und Gewalt in Paarbeziehungen sind unter keinen Umständen verantwortlich für das Handeln der Menschen, von denen sie verletzt wurden. Ich will damit sagen, es ist wichtig, die Bedingungen zu untersuchen, die Communitys schaffen und aktiv aufrechterhalten, unter denen derartige Übergriffe überhaupt passieren können. Mit Bestrafung zu reagieren, ist keine Lösung, um Schaden zu verhindern.

Queerlandia ist voller Doppeldeutigkeiten und Widersprüche, weil es ein von Menschen erschaffener Traum ist. Wir sehnen uns nach Sicherheit und Ordnung, aber lieben auch den Nervenkitzel von Grenzüberschreitungen und Gefahr. Wir sind besessen von Sex und behaupten, wir seien sex-positiv, aber haben gleichzeitig schreckliche Angst davor, was für einen Schaden wir damit anrichten könnten.

Mir wurde in der queeren Community gesagt, Konsens habe immer absolut oberste Priorität, doch dann landete ich immer wieder in Situationen, wo ich von Menschen umgeben war, die betrunken waren oder so high, dass sie kaum noch zurechnungsfähig waren und nicht mehr konsensual kommunizieren konnten. Die gleichen Menschen, die in Workshops und sozialen Medien über die Bedeutung von Konsens predigten, haben mich immer wieder angefasst und geküsst, ohne mich vorher ein einziges Mal zu fragen, was ich eigentlich wollte.

Wir behaupten, wir würden Safer Spaces schaffen, um Sexualität auszudrücken, aber wir haben keine Ahnung, wie das überhaupt geht. Um einen sicheren Umgang mit Sexualität zu gewährleisten, reicht es nicht, vor einer Party einfach nur ein Schild aufzustellen, auf dem steht: *RAPISTS NOT WELCOME.* Eine Community kann konsensuelle Sexualität nicht wirklich vermitteln, indem sie gewalttätiges Verhalten so lange ignoriert, bis sich eine Person hinstellt und schreit: „DIESE PERSON HAT MICH SEXUELL MISSBRAUCHT!", und dann den*die Beschuldigte*n kurzerhand verbannt.

Hinter der Fassade von Queerlandia befinden sich echte Menschen und Orte, voller Wut und Schmerz. Wir bringen Erinnerungen an Traumata mit, die wir in unseren Herkunftsfamilien überlebt haben, in einer trans- und homofeindlichen Gesellschaft, und fügen sie unseren eigenen Körpern sowie denen der Anderen erneut zu.

Als junger Mensch, gerade frisch angekommen in Queerlandia, während meiner späten Teeniejahre und frühen Zwanziger, habe ich mich auf diejenigen verlassen, die ich als Mentor*innen und Queer Elders wahrgenommen habe. Die meisten von ihnen waren höchstens zehn Jahre älter als ich. Ich war völlig wehrlos und bedürftig, hauptsächlich, weil meine Eltern nicht in der Lage waren, mir die Orientierung zu geben, die ich als trans Frau of Colour in einer homo- und transfeindlichen migrantischen Community brauchte. Ich war darauf angewiesen, dass queere und trans Menschen mir von queeren Normen, Kultur und Sex erzählten. Ich war auf queere Menschen angewiesen, mir genau das beizubringen, was ich wissen musste, um mich zu beschützen.

Die Beziehungen, die ich mit Mentor*innen hatte, waren meist unverbindlich und ohne klar definierte Grenzen. Einige waren mit Herz und Seele dabei, und dafür werde ich ihnen immer dankbar sein, doch keine*r von ihnen hat jemals gesagt: „Ich bin eine zuverlässige erwachsene Person. Und es sieht so aus: Das ist, was ich dir geben kann, und das ist, was ich nicht geben kann." Vielleicht wusste ich darum nicht, was ich von ihnen erwarten konnte, hatte keinen Schimmer, was angebracht war und was nicht.

Wo waren die Älteren in Queerlandia, als ich missbraucht wurde? Warum haben sie nichts getan, nichts gesagt? Warum haben sie mich nicht beschützt? Wer übernimmt die Verantwortung für sowas wie Elternschaft und Führung in einer Community, in der fast alle von uns dazu gezwungen waren, vor ihren Eltern zu fliehen.

In ihren Gedichten stellt Leah Lakshmi Piepzna-Samarasinha die folgende Frage: „Was für eine Art von Älterer willst du sein?" Die Frage verfolgt mich. Ich weiß, was ich von meinen Älteren wollte. Führung. Verbindung. Rat. Ich frage mich schon, ob ich imstande bin, sowas einer anderen Person zu geben. Wenn ich an die jüngeren Menschen in meinem Leben denke, sehe ich, wie groß ihre Sehnsucht ist. Eine Sehnsucht, die meiner eigenen sehr ähnelt. Wie wird mensch zu einer Mentorin, wenn sie selbst nie eine hatte? In der Community romantisieren wir die Vorstellung der Älteren, ohne wirklich zu wissen, was generationsübergreifende Verantwortung eigentlich alles mit sich bringt oder wie wir Beziehungen über Generationen hinweg bilden können, die sowohl bewusst und mit Integrität geschlossen werden.

Hätte ich in Queerlandia wahre intergenerationale Führung erhalten – wenn mich ein*e Mentor*in mit den besten Absichten umsorgt und beraten hätte –, wären mir dann Vergewaltigung, sexuelle Belästigung und Ausbeutung trotzdem widerfahren?

Ich frage mich schon seit geraumer Zeit, warum meine eigenen Gewalterfahrungen in der queeren Community so lange niemensch aufgefallen sind – sie blieben in der Community unbemerkt und von mir unbeachtet. Zum Teil wahrscheinlich wegen meiner eigenen Unfähigkeit, den Missbrauch als solchen zur Sprache zu bringen. Niemensch benannte den Missbrauch, der mir angetan wurde, also wusste auch keine Person, dass er passierte – obwohl alles direkt vor unserer Nase ablief.

Ich glaube, nur deswegen war es möglich, dass ein mir völlig unbekannter, queerer Mann während einer Party in einer von Montreals Punkbars mich mit beiden Händen von hinten packen konnte, um mich dann mehrere Male gegen eine Wand zu schlagen.

Keine Person hat auch nur ein Wort gesagt. Keine*r hat etwas unternommen. Keine*r kam mir zur Hilfe, um zu versuchen, diesen Mann von mir loszureißen. Keine Person rührte sich, während ich um Luft rang, während meine Knochen bei jedem Aufprall laut protestierten, bis ich endlich nach seinen Armen greifen und ihn wegstoßen konnte. Keine*r antwortete mir, nachdem ich rausgerannt war und zu einer kleinen, rauchenden Gruppe sagte: „Hey, dieser Typ da drin hat mich gerade angegriffen!"

Und das waren keine mir unbekannten Leute. Es waren keine beliebigen hetero Leute auf der Straße, die dabei zusahen, wie eine trans Frau von einem homofeindlichen Mann angegriffen und zusammengeschlagen wurde. Sie gehörten genau wie ich zur Community, waren Freund*innen von mir, die tatenlos blieben als ein Freund von ihnen mich so angriff, dass ich bleibende körperliche Schäden hätte davontragen können. Ich weiß noch genau, wer da war, ich erinnere mich an jedes Gesicht und an jeden Namen.

Jahre später macht es mich immer noch wütend, wenn ich daran denke. Warum haben sie sich nicht gerührt? Warum war es ihnen egal? Und warum hat mich keine*r von ihnen gefragt, ob alles okay ist? Weil der Angriff nicht sexuell war oder zumindest nicht dem entsprach, was wir als solchen einordnen? Ist ein möglicherweise tödlich ausgehender körperlicher Übergriff nicht so schwerwiegend wie ein sexueller in den Augen der queeren Community? Oder hing es damit zusammen, dass ich nicht *weiß* war, noch keine veröffentlichte Autorin, noch nicht „wichtig genug", weshalb dieser Angriff ohne Reaktion stattfinden konnte?

Über die Jahre hinweg wurde ich Zeugin, wie manche der Queers, die an diesem Abend da waren, ihre Täter*innen öffentlich anprangerten und verlangten, dass sie aus der Community verbannt werden sollten. Manchmal bekamen sie, was sie wollten, auf der Grundlage der Forderung, dass wir Überlebenden immer glauben sollten. Doch dieselben Menschen haben gesehen, was mir damals auf dieser Party angetan wurde, ohne auch nur den Versuch zu unternehmen, mir zu helfen.

Warum war ihr Schmerz wichtiger als meiner?

Eigentlich hatte ich vor, an dieser Stelle des Essays eine anschauliche Anekdote über meine eigenen Erfahrungen mit sexueller Gewalt anzubringen. Es erschien mir genau das, was ich tun sollte. Ich hatte mir vorgenommen, in diesem Essay meine eigenen Erfahrungen mit Missbrauch darzustellen, als Metapher für ein umfassenderes Problem intimer Gewalt in der queeren Community – ein Problem, das viele kennen und am eigenen Leib erfahren haben, ohne offen darüber zu sprechen. Wir wissen, wenn Gewalt im Spiel ist, wir sehen, wie Dynamiken entstehen, manchmal können wir sogar bis zu einem gewissen Grad vorhersagen, wem Schaden zugefügt wird, und doch tun wir herzlich wenig dagegen – obwohl wir so viel darüber diskutieren.

Doch meine Gewalterfahrung ist keine Metapher. Mein Körper ist keine Metapher. Mein Leben ist keine Metapher.

Überlebende*r zu sein, sollte nicht als eine Art Ticket dienen, um am öffentlichen Diskurs über Gewalt in Paarbeziehungen mitreden zu können. Wir sollten nicht gezwungen sein, die Worte: „Ich wurde vergewaltigt" sagen zu müssen, nur, um ernst genommen zu werden. Auch sollten wir nicht die Namen derjenigen aufzählen müssen, die uns verletzt haben, um Unterstützung zu bekommen.

Wir leben in einer Vergewaltigungskultur, wie Feminist*innen es gerne nennen, die queere Community eingeschlossen. Das bedeutet, zumindest für trans Frauen of Colour wie mich – Opfer von Gewalt, für die es am unwahrscheinlichsten ist, Unterstützung als Überlebende zu erfahren –, dass unsere

Täter*innen nicht nur ein oder zwei schlechte Menschen sind. Mein Privatleben – sowohl sexuell als nicht-sexuell – bestand zum Großteil aus einem Spektrum von Gewalt, das die meisten meiner Sexpartner*innen und viele meiner Freund*innen umfasste.

Das Problem mit intimer und sexueller Gewalt ist kein individuelles, sondern ein kulturelles. Das bedeutet, *wir* tragen die Verantwortung dafür. Wir alle. Du. Und ich auch.

Was wäre dafür nötig, eine Community aufzubauen, in der wir wirklich sicher sind? Nicht vollkommen, absolut sicher, ganz ohne Risiken – denn so etwas ist unmöglich –, aber sicher genug, um uns auf intime Abenteuer einlassen zu können mit dem Wissen, dass es da wirklich eine Community gibt, auf die wir uns verlassen können. In der wir uns sicher genug fühlen, um auch mal Fehler zu machen, Menschen zu verletzen, so, wie wir es alle manchmal tun, durch Unachtsamkeit, Ungeschicklichkeit oder schlichte Unbeholfenheit, und dass wir es auf eine Weise wiedergutmachen können, die Heilung anstatt noch mehr Schmerz mit sich bringt? In der die Vergewaltigung und Traumatisierung von trans Frauen of Colour nicht von vornherein feststeht?

Ich glaube, es würde bedeuten, den Traum von Queerlandia aufzugeben. Ein Traum, der uns zwar am Leben erhalten hat, uns aber auch wie eine Spinne, die in einem dystopischen Netz feststeckt, gefangen gehalten hat. Denn Queerlandia ist ein Traum von Perfektion, in dem nur perfekte Menschen – perfekte Opfer, perfekte Überlebende - leben können. Vielleicht ist das ja auch der Grund, warum einige Leute aus der queeren Community, die am lautesten über Gewalt und das dringende Bedürfnis, die Täter*innen zu ächten, schreien, häufig diejenigen sind, die andere gemobbt haben, nicht-konsensuale sexuelle Handlungen ausübten und andere psychologisch manipulierten.

Was wäre wenn wir, anstatt darauf zu warten, dass eine toxische Beziehung zwischen zwei Queers aus der Community sich in einen Kreislauf aus Call-Outs und Ausgrenzung aufschaukelt, wie ihn viele von uns nur zu gut kennen, lieber miteinander sprechen und eingreifen, wenn wir das Gefühl haben, einer* oder beide könnten Hilfe benötigen? Was, wenn wir keine Angst hätten, die Frage zu stellen: „Tut mir leid, wenn ich total falsch liege und mich das nichts angeht, aber kann es sein, dass dir deine Beziehung nicht guttut?"

Was wäre, wenn wir unsere Szene und Community in Gruppen von Wahlfamilien organisierten, in der jede*r die Möglichkeit hätte, Mentor*innenschaft in Anspruch zu nehmen? Und wenn eine befreundete Person oder ein*e Liebhaber*in einen anderen Menschen verletzen würde, hätten wir dadurch bereits ein Netzwerk parat, um sie*ihn auf eine nicht strafende und liebevolle Weise zur Rechenschaft zu ziehen.

Was wäre, wenn wir, anstatt nach den Monstern unter uns zu jagen, einen langen, liebevoll zugewandten und mutigen Blick in den Spiegel werfen würden? Wen würden wir dort erblicken?

Queerlandia ist der Ort, nach dem ich mich als Kind sehnte, als ich in einem Umfeld aufwuchs, das von Missbrauch geprägt war. Queerlandia ist der Ort, den ich mir so lange ausgemalt habe, für den ich gekämpft habe, für den ich bereit war zu sterben. Queerlandia hat mein Leben gerettet, indem es mir einen Grund gab zu leben. Er ist Fantasie, revolutionäre Vision, hart und glitzernd und überraschend spitzkantig, wie der Schuh einer Drag Queen. Es ist nur die Hülle der Perfektion, die Illusion von Sicherheit, die sich über die Oberfläche einer verzweifelten Realität legt.

Ich will ab jetzt in der echten Welt leben – wahrscheinlich ein unschöner Ort, aber dafür hoffentlich umso ehrlicher. Ich habe mein gesamtes Erwachsenenleben damit verbracht, nach der Wahrheit zu suchen. Ich glaube, ich habe bisher wohl leider immer an den falschen Orten danach gesucht.

wie oft?

wie oft
hat dir die queere community
das herz gebrochen?

wie oft
kann ein lover dich zerbrechen
bis du es nicht mehr aushältst?

welche liebe zeigte dir
die queere community?

Konsens mit Komplikationen

Wie viele andere, hatte auch ich meine Schwierigkeiten mit dem gigantischen Triggerfest in den sozialen Medien, welches die #MeToo-Bewegung losgelöst hat. Beginnend im Herbst 2017 wurden wir über ein Jahr lang jeden Tag mit dieser Geschichte und jener Stellungnahme überflutet – und es geht weiter in 2019, wenn auch weniger sintflutartig. Immer wieder ereifern sich Leute jeglicher politischen Gesinnung darüber, wie furchtbar die Zeiten, in denen wir leben, doch seien.

Wir müssen den Menschen, die vergewaltigt und missbraucht wurden, glauben und sie unterstützen. So lautet die Lektion, die durch #MeToo endlich und auf schmerzhafte Weise ins Bewusstsein der Öffentlichkeit drang. Wir haben ein Zeitalter erreicht, in dem Machtverhältnisse beim Sex mit gutem Recht endlich infrage gestellt werden – zum Beispiel die längst überfällige Auseinandersetzung mit Machtdynamiken zwischen Profs und Studierenden sowie zwischen zwei Erwachsenen mit großem Altersunterschied. Allerdings ist es für mich unglaublich schwierig mit anzusehen, wie „Aktivist*innen für soziale Gerechtigkeit" und „Feminist*innen" aller Geschlechter lautstark verkünden, wie viel sie doch über Konsens wüssten und wie gut und einvernehmlich ihr eigenes Sexleben sei, und wie schrecklich alle anderen seien, die nicht so viel davon verstehen wie sie. Ich habe einige dieser Leute gedatet, habe mit anderen viel Zeit verbracht oder zusammengearbeitet, und ich kann aus erster Hand berichten, dass ihre Konsenspraxis einiges zu wünschen übrig lässt. Auch meine eigene Praxis ist nach wie vor verbesserungsdürftig, und ich werde wahrscheinlich für den Rest meines Lebens daran arbeiten, sie zu verbessern und anzupassen.

Und das alles ist wirklich nur ein klitzekleiner Teil einer Unterhaltung, die die Gesellschaft über Sex, Konsens bzw. Zustimmung und Gewalt in der Gegenwartskultur führen muss. Die progressive Konsenskultur hat versagt, da sie vom gefängnisindustriellen Komplex und weißem Feminismus instrumentalisiert wurde. Strafrechtsmodelle, wie die, die das Gefängnissystem anbietet und welche von einem *weißen* Mainstream-Feminismus unterstützt werden, haben uns zwar bühnenreife Prozessspektakel beschert (sowohl vor Gericht als auch vor öffentlicher Meinung), uns jedoch weder zu Heilung verholfen noch einen Weg nach vorn geboten.

Eigentlich haben wir keine Ahnung, wovon wir reden, wenn es um Zustimmungskonzepte geht. Und wir tun wirklich niemandem einen Gefallen, wenn wir so tun, als würden wir alle die gleiche Definition von Konsens teilen, nämlich, dass Zustimmung leicht zu definieren oder auszuüben sei, oder dass der Standard bedeutet, Zustimmung sei „ausdrücklich (d. h. mündlich), informiert, kontinuierlich und enthusiastisch", und dass das für jede Person in jeder Situation gelte.

Die *Feminist Sex Wars* der zweiten Welle erleben einen Aufschwung und wir sind mittendrin. Das bedeutet, die alte Auseinandersetzung zwischen sexueller Freiheit und sexueller Sicherheit landet wieder auf dem Tisch. Der Begriff „sexpositiv" wird unter Feminist*innen der dritten Welle gern und viel gebraucht, doch die Mehrheit von uns scheint kein klares Verständnis davon zu haben, wie wir positiv mit Sex umgehen können, wenn er nicht nach einem romantischen, heteronormativen Schema abläuft. Also zwischen zwei Menschen, die alles voneinander wissen, den Sex, den sie haben, immer total geil finden und immer über alles reden können, ohne dass Machtdynamiken je zur Sprache kommen.

Es gibt aber auch eine schädliche Ausprägung von Sexnegativität, die fester Bestandteil der gängigen Konsenskultur ist, insbesondere weit verbreitet auf dem Hochschulgelände und in non-Profit-Organisationen. Konsenskultur hat mir hundert Mal erklärt, was eine Vergewaltigung ist, aber konnte mir nicht zeigen, wie ich Sex für mich tatsächlich zugänglicher gestalten kann. Konsenskultur hat für mich die Form eines schwulen, *weißen* Jungen eingenommen, der mich belehrt, weil ich einen „Vergewaltigungswitz" darüber gemacht habe, Typen zu begrapschen, die mich bereits zuvor auf der Tanzfläche begrapscht haben. Der gleiche schwule Junge liebte es übrigens, mich abzulecken, wann immer es ihm passte, ohne mich zu fragen und trotz meines Protests.

Konsenskultur lehrt uns, dass Sex immer in einem binären System zu verorten ist – entweder gut und mit Zustimmung (ausdrücklich, informiert, kontinuierlich und enthusiastisch) oder als Vergewaltigung, die als die schändlichste und verwerflichste aller Sünden dargestellt wird sowie die traumatischste Erfahrung, die einer Person zustoßen kann. Diese Sichtweise auf Vergewaltigung wird dann zu der einzigen Möglichkeit, wie Sex, der unangenehm und schmerzhaft ist, zu verstehen ist. Sex ist allerdings in vielen Situationen nicht ganz so eindeutig, wie es diese Sichtweise darstellt.

Die Vorstellung, dass jede Situation, in der Sex ungewollt und unangenehm (und somit nicht enthusiastisch) ist, als Vergewaltigung kategorisiert wird, unterstützt das paternalistische „Menschenhandel"-Argument, auf welches Verfechter*innen der Hurenfeindlichkeit vorbringen, da Sexarbeiter*innen angeblich nicht selbst entscheiden können, welche Art von Sex sie haben wollen, wann sie ihn haben wollen und aus welchen Gründen.

Die Definition von Konsens als „ausdrücklich, informiert, kontinuierlich und enthusiastisch" wurde lange Zeit verwendet, um die Rechte von Sexarbeiter*innen, HIV-positiven Menschen und anderen Menschen mit Geschlechtskrankheiten, Menschen, die behindert werden und trans Personen zu untergraben. Es gibt einige Regierungen, die den Begriff des „informierten"

Konsens benutzen, um HIV-positive Menschen zu kriminalisieren und ins Gefängnis zu stecken, weil sie ihre Partner*innen nicht über ihren Status aufgeklärt haben. Wir wissen allerdings, dass diese Aufklärung zu physischer und systematischer Gewalt führen kann. Mit „informierter" Zustimmung wurde auch Mord an trans Frauen gerechtfertigt, da sie ihr bei der Geburt zugewiesenes Geschlecht nicht ihren Partner*innen mitteilten, aus Angst, angegriffen oder sogar getötet zu werden, wie im Fall von Gwen Araujo. Es gibt sogar eine Fraktion cis-lesbisch identifizierter Feministinnen, die behaupten, dass es einer Vergewaltigung gleichkomme, wenn trans Frauen ihren Status gegenüber Partner*innen nicht offenlegen, bevor es zum Sex kommt.

Auf persönlicher Ebene haben die meisten von uns schon mal Sex gehabt, der ohne Zustimmung, die „ausdrücklich, informiert, kontinuierlich und enthusiastisch" war, abgelaufen ist. Aus dem einfachen Grund, dass sich menschliche Interaktionen normalerweise etwas anders abspielen als auf dem Papier – besonders die, die so emotional aufgeladen und körperlich sind wie Sex.

Als junger Mensch, der mit psychischen Problemen zu kämpfen hatte, sich aber auch sehr nach Sex sehnte und gleichzeitig davor fürchtete, landete ich oft in riskanten sexuellen Situationen, in denen Kommunikation und Machtdynamiken nicht klar definiert waren. Manche meiner Partner*innen waren ähnlich wie ich sehr hilflos, andere waren älter, erfahrener, reicher, mir körperlich überlegen. Ich gab oft verbale Zustimmung zu Sex, der schmerzhaft war (nicht angenehm), der sich verwirrend anfühlte oder als ob ich ausgenutzt wurde, denn ich wollte mich eigentlich nur sexy und geliebt fühlen. Manchmal war ich high oder betrunken und meine Partner*innen auch. Während einer einzigen Begegnung konnte ich Schmerz, Lust, Verwirrung, Verbindung, Führung und Verletzung erleben.

Hatte ich etwas Besseres verdient? Aber klar. Waren meine Partner*innen imstande, mir Besseres zu geben (also, hatten sie den nötigen Weitblick, die Erfahrung und das Wissen dazu)? Manchmal, aber nicht immer. Habe ich auch manchmal andere verletzt? Ja, allerdings nie, indem ich sie zu etwas gezwungen oder manipuliert habe. Meine Fehler hatten ihren Ursprung, wie bei den meisten meiner Peers, in der Tatsache, dass ich nicht wusste, was Grenzen waren. Mir wurde nie beigebracht, dass ich überhaupt Grenzen hatte.

Mein Sex war also nicht immer eine sichere Angelegenheit. Weder für mich noch für andere. Es ist unvorstellbar, so etwas in diesem politischen Klima, von krasser Beschämung und Kontrolle preiszugeben. Vielleicht müssen wir es genau deswegen sagen. Ich weiß nicht immer, was ich damit anfangen soll. Aber ich bin mir sicher, dass ich alles andere als allein damit bin – dass der Großteil queerer Menschen, egal welchen Alters, diese Art von Sex hatte.

Dennoch hatte ich dabei Handlungsmacht. Dennoch hatte ich ein Recht darauf. Und ich glaube, das ist eine chaotischere und echtere Art der Sexpositivität – diese ganzen Wahrheiten gleichzeitig halten zu können und dabei an das

Gute im Menschen, an die Möglichkeit der Heilung und des Wachstums, an die Möglichkeit der Lust, die aus der Erfahrung erwächst, zu glauben.
Liberale Konsenskultur brachte mir bei, mich hundertfach als Opfer zu verstehen, konnte mir jedoch nie dabei helfen, außerhalb dieser Rolle eigene Kraft und Potenzial zu schöpfen.

Ich wurde vergewaltigt und misshandelt. Aber ich sollte nicht dazu gezwungen sein, es auszusprechen, diese Worte zu benutzen, diese Geschichte, die eine andere Person geschrieben hat, damit mir geglaubt wird, dass ich verletzt wurde. Dass ich leide. Dass manches, was mir passiert ist, nicht richtig war. Ich verdiene diesen Rahmen, diesen Raum für meine eigene Handlungsfähigkeit und Menschlichkeit. Das tun wir alle.

grenzen I

bei grenzen
geht es nicht um ja
oder nein
es geht nicht um einschränkungen
oder erlaubnis oder sogar um
diese sache namens konsens
es geht dabei um den raum
zwischen *mir* und *dir*
das grenzgebiet
in dem angst ein ende findet
und verlangen beginnt
es geht um den ort
an dem liebe sein darf
ohne darin verloren zu gehen

Das Eis um #MeToo schmelzen

Geschichten aus der queeren Community

Während die Mainstream-#MeToo-Bewegung, die 2017 begann, weiterhin Täter*innen benennt, in dem Versuch, sie nun 2019 zur Rechenschaft zu ziehen, tauchen auch in der queeren Community weiterhin Anschuldigungen auf, wie die Vorwürfe gegen den berühmten Hollywood Regisseur Bryan Singer, unter anderem bekannt für die Blockbuster *X-Men* und den Oscar-nominierten Film *Bohemian Rhapsody*. Die Anschuldigungen gegen Singer knüpfen an frühere Meldungen über die schwulen Schauspieler Kevin Spacey und George Takei an, wobei letzterer sich als unschuldig erwies. Dann waren da noch die Beschuldigungen wegen sexueller Belästigung gegen den Schauspieler Jeffrey Tambor, von der Serie *Transparent*, und das Schweigen von der Macherin der Serie, Jill Soloway, als Reaktion auf die Vorwürfe.

Als ich dieses Essay zu schreiben begann, das ursprünglich von *Xtra* als Kommentar über queere #MeToo-Storys angesichts der jüngsten Ereignisse in Hollywood in Auftrag gegeben wurde, war meine Reaktion darauf – unangebrachterweise – desinteressiert, fast schon gelangweilt. Die Unterstellung sollte wohl sein, dass die Abrechnung mit sexuellem Missbrauch und Übergriffen in der queeren Community längst überfällig wäre und Singer wie Spacey der lebende Beweis dafür seien. Es sieht jedoch nicht so aus, als hätte es in der jüngsten Vergangenheit an Diskussionen über Queers und sexuelle Gewalt gemangelt. Eine schnelle Google-Suche mit den Begriffen „queer" und „#MeToo" führt zu einer Reihe von Artikeln und Think Pieces über sexuelle Gewalt unter LGBTQIA+ Leuten - von der vernachlässigten Berichterstattung über trans Frauen im #MeToo-Diskurs bis hin zur vorherrschenden Vergewaltigungskultur unter schwulen Männern.

Es erweckt wirklich manchmal den Eindruck, als sei mein gesamtes Erwachsenenleben als queere Person von wütenden Diskussionen über die Tatsache geprägt, dass es unter uns Täter*innen gibt – so sehr, dass mich zu meinem eigenen Erschrecken das Thema oft kalt lässt. Aus der Perspektive eines Community-Mitglieds kann ich bezeugen, dass es diese öffentlichen Aufrufe gegen queere Täter*innen schon lange vor den hetero #MeToo-Ereignissen gab. Diese Call-Outs hatten unterschiedliche Auswirkungen auf das tatsächliche Leben queerer Menschen, da es oft nicht dazu führte, dem Verhalten privilegierter Täter*innen Grenzen zu setzen, äußerst marginalisierte Personen wurden jedoch stark davon beeinträchtigt.

Ich weiß noch, wie ein sehr beliebter *weißer*, cis-schwuler Mann auf Facebook der sexualisierten Gewalt beschuldigt wurde, ohne dass es Konsequenzen für ihn gehabt hätte. Er blieb in den sozialen Medien aktiv, nahm an queeren Veranstaltungen teil und führte ein erfolgreiches Community-Unternehmen. Ich erinnere mich auch an eine trans Frau of Colour, die durch ihre Beziehungsperson der emotionalen Manipulation beschuldigt wurde. Diese trans Frau wurde kurzerhand aus allen queeren Räumen der Stadt, Wahlfamilien-Netzwerken und Veranstaltungen verbannt. Sie entwickelte schwerwiegende Paranoia und verschwand schließlich aus den sozialen Netzwerken. Ich habe keine Ahnung, was mit ihr passiert ist.

In der queeren Community mangelt es uns nicht an einem Diskurs über sexuellen Missbrauch. Ganz im Gegenteil, wir sind ständig davon umgeben, und das schon seit geraumer Zeit. Trotz des ganzen Geredes hat sich dem Anschein nach nicht viel verändert – es gibt immer noch Opfer und es gibt immer noch Täter*innen.

Das wirft einige wichtige Fragen auf: Worüber müssen wir wirklich reden, wenn es um sexuellen Missbrauch und die queere Community geht? Welche Wahrheiten und wessen Geschichten gehen im Lärm unseres kollektiven Schmerzes unter?

Trauma-Theorie und ihr Bestreben, Überlebensmechanismen des menschlichen Körpers zu verstehen, könnten da ein paar Antworten liefern. Als ehemalige Therapeutin habe ich gelernt, dass ein Gefühl der Langeweile, der emotionalen Abwesenheit als Reaktion auf Stressreize eine unterschwellige Form der traumatischen Reaktion ist: Das menschliche Gehirn versucht sich nicht nur mit der instinktiven Kampf-oder-Flucht-Reaktion zu schützen, die wir von Überlebenden eines Traumas kennen, sondern auch mit einer Freeze-Reaktion.

Die Freeze-Reaktion ist durch eine unfreiwillige emotionale Blockade gekennzeichnet. Ein uralter, genialer Abwehrmechanismus, besonders dann, wenn Gefahr anhaltend und wiederholt stattfindet und es unwahrscheinlich ist, sie durch Kampf oder Flucht zu überwinden. Beispielsweise durchlaufen viele Überlebende von sexualisierten Angriffen oder Gewalt eine Art psychische Lähmung, während der Denk- und Gefühlsabläufe instinktiv abgeschaltet werden, um den*die Überlebende*n vor weiterem Schaden zu schützen.

Menschen, die in einem stark traumatisierenden Umfeld leben, wie z. B. in konfliktreichen Gegenden oder in gewalttätigen Familien, erleben möglicherweise durchgängig ein emotionales Erstarren, unterbrochen von Kampf-oder-Flucht-Momenten mit intensiven, kurzen Krisen. Solchen Menschen fällt es schwer, starke Emotionen wie Angst, Wut oder Traurigkeit wahrzunehmen, und sie fühlen sich stattdessen oft leer und abgekoppelt von anderen.

Was sagt die Freeze-Reaktion über die unausgesprochenen Geschichten über sexualisierte Gewalt in der queeren Community aus? Zunächst einmal könnte sie helfen, die eigenartige und heftig aufgeladene Dynamik rund um Geheimhaltung, Offenbarung und Bestrafung zu erklären, die für unsere Diskussionskultur und unser Verständnis dessen typisch sind, wenn es darum geht, was sexuelle Gewalt zwischen Menschen eigentlich ausmacht.

Für eine Community, die angeblich von progressiver Politik, Sexpositivität, und gegenseitigem Verständnis geprägt ist, verletzen sich Queers ganz schön häufig und auf schreckliche Art und Weise. Fast die Hälfte der Personen, die sich als schwul oder lesbisch identifizieren, berichten, dass sie sexuelle Gewalt oder psychischen Missbrauch in der Partner*innenschaft erlebt haben, und mehr als die Hälfte der bisexuellen Personen hat dasselbe erlebt. Ebenso berichtet mehr als die Hälfte der trans Menschen, dass sie im Laufe ihres Lebens Gewalt in der Partner*innenschaft erlebt haben. Und trans feminine Personen, insbesondere of Colour, haben ein deutlich höheres Risiko als andere Gruppen, körperliche Gewalt zu erfahren und von ihren Partner*innen ermordet zu werden.

Dies erzeugt die beste Umgebung für eine kollektive Freeze-Reaktion, eine Community-umfassende Abstumpfung der Seele. Die queere Community, trotz all ihrer Schönheit und Stärke, ist ein abgeschotteter Raum, in dem sexualisierte Gewalt allgegenwärtig und fortlaufend ist. Diese Gewalt erweist sich als unsichtbar, jedoch nicht indem sie sich versteckt, sondern indem sie überall gleichzeitig stattfindet: In der Badehauskultur, Party-Kultur und der queeren Sex-Kultur. Wir alle sehen sie, doch wir stehen ihr teilnahmslos gegenüber. Sie kommt uns banal vor. Was bringt es schon, darüber zu reden? Nichts wird sich ändern. Schwierige Unterhaltungen zu führen, tut doch nur weh.

Diese Teilnahmslosigkeit hält an, bis sie in Momenten intensiver, vor Wut rasender Krisen ausbricht und sich in Kampf-oder-Flucht-Reaktionen äußert, in der Form von Call-Outs, sozialer Ausgrenzung, „Cancelling", Verbannung. Diese Strategien spielen eine wichtige emotionale Rolle in kleinen Communitys, insbesondere, wenn sie traumatisiert sind und von den herkömmlichen Polizeibehörden nicht hinreichend in Schutz genommen werden. Am Ende wollen und verdienen wir es alle, uns sicher zu fühlen. Und manchmal wollen wir uns auch an denen rächen, die uns verletzt haben - und es ist nicht falsch, sich rächen zu wollen, wenn wir missbraucht wurden.

Aber Antworten aus der Community auf Missbrauch, die auf Ausschluss und sozialer Beschämung beruhen, funktionieren nicht. Kampf, Flucht und Freeze sind hervorragende Reaktionen auf traumatische Erlebnisse, wenn es um das Überleben einer einzelnen Person im Moment geht, doch sie kosten uns die menschliche Verbindung. Wenn wir voreilig Übeltäter*innen mit sozialem Mobbing und Ausschlüssen bestrafen, verlieren wir die Möglichkeit, die Ursachen dieses schädlichen Verhaltens zu verstehen und sie somit in Zukunft zu verhindern. Und wir laufen Gefahr, ein ungleiches Strafsystem aufrechtzuerhalten, in dem nur die schwächeren bestraft werden - wie die trans Frau of

Colour aus meinem Bekanntenkreis, die an den Pranger gestellt und aus der queeren Community ausgeschlossen wurde.

Justizmodelle, die Bestrafung in den Mittelpunkt stellen, verhindern Missbrauch nicht, sondern reagieren nur darauf. Außerdem bieten sie weder Überlebenden noch Täter*innen einen Weg, sich zu bessern und zu erholen. Weiter haben sie keinen Blick für die mehrschichtige Realität von Täter*innen, die selbst Überlebende sind. Eine Studie aus dem Jahr 2019 der McMaster University, die durch die Forscherin Claire Bodkin durchgeführt und im *American Journal of Public Health* veröffentlicht wurde, belegt, dass etwa die Hälfte der Gefängnisinsass*innen in der Kindheit missbraucht wurden.

Ich frage mich schon manchmal: Wenn wir jede einzelne queere Person, die sich jemals sexuell unangemessen, übergriffig oder gewalttätig verhalten hat, ausschließen würden, gäbe es dann überhaupt noch eine Community?

In einer Gesellschaft, die auf Vergewaltigungskultur, Siedlerkolonialismus und Kapitalismus aufgebaut ist, haben Narrative bezüglich sexueller Übergriffe und Gewalt häufig einen sehr negativen Stellenwert. Sie sind stets aufgeladen mit der Macht, sowohl Sprecher*in als auch Zuhörende zu verletzen. Nur selten sind sie dazu imstande, bei irgendeiner Person einen heilsamen Effekt hervorzurufen. Kleinere Communitys, wie beispielsweise die queere, leiden besonders unter dieser Weltanschauung, die Bestrafung, statt Heilung in den Mittelpunkt stellt. Wir sind doch ohnehin schon so oft im Zwist mit der Außenwelt. Sich gegen Missbrauch auszusprechen – selbst innerhalb unserer Communitys –, würde nur Krieg in den eigenen Reihen bedeuten. In einem in der Zeitschrift *GUTS* erschienenen Artikel von 2019 mit dem Titel „A Conversation I Can't Have Yet: Why I Will Not Name My Indigenous Abusers" (Warum ich meine indigenen Täter*innen nicht benennen werde), beschreibt die indigene transfemme Dichterin und Performerin jaye simpson dieses Dilemma im Kontext der indigenen Community. „Warum nicht einfach die Namen dieser Männer und Frauen nennen und öffentlich verkünden, was sie mir angetan haben? Ganz einfach, weil sie aus meiner Community kommen", schreibt simpson. „Es würde außerdem alles verkomplizieren, weil mich das Justizsystem misgendern und mir mit einem Gerichtsverfahren drohen würde. Noch viel schwerwiegender wäre aber, dass eine Person von uns am Ende tot ist."

Wie kannst du die Community für etwas verantwortlich machen, die dich aufnahm, nachdem deine Familie dich rausgeschmissen hat? Wie machst du die Menschen für etwas verantwortlich, die dich geliebt haben, die du immer noch liebst? Die Leute, die dir gezeigt haben, wer du bist und die dir geholfen haben, zu überleben? Wie machst du deine Liebhaber*innen, Freund*innen, Mentor*innen und Vorbilder für etwas verantwortlich, wenn du dir nicht sicher sein kannst, dass ihr es beide überleben werdet?

Manchmal ist es immer noch das Sicherste, nichts zu sagen. Zu erstarren.

Die #MeToo-Bewegung ist wie ein plötzlicher Temperaturanstieg auf der ganzen Welt, der die Eisschicht zum Schmelzen bringt, die den Planeten umgibt: Altes und Vergrabenes dringt plötzlich an die Oberfläche, zerplatzt und setzt all seine Giftstoffe frei. Die kollektive Freeze-Reaktion der Gesellschaft, die sich im Schweigen und Wegschauen zeigt, muss plötzlich der Kampfeslust weichen – ein Ausbruch von selbstgerechtem Zorn, Schuldzuweisungen, Bestrafung. 2019 wird R. Kelly erneut des sexuellen Missbrauchs an jungen Schwarzen Frauen bezichtigt. Dabei war es alles andere als ein Geheimnis, dass er eine sexuelle Beziehung mit der Sängerin Aaliyah hatte, als sie fünfzehn und er siebenundzwanzig war. Woraufhin er sie 1994 öffentlich heiratete. Obwohl Aaliyah die Ehe später annullieren und die Aufzeichnungen löschen ließ, war es ihre Karriere, die darunter litt, nicht Kellys. An alle, die Kelly nun lautstark verdammen, habe ich nur eine Frage: Wo wart ihr damals?

Die gleiche Frage könnten wir allen in der Filmbranche in Hollywood stellen, die jahrzehntelang Woody Allen unterstützten, und allen, die Roman Polanskis künstlerische Projekte lobten und an ihnen teilnahmen, trotz der gegen sie erhobenen Vorwürfe sexueller Übergriffe, und die jetzt angeblich entschlossene Unterstützer*innen von #MeToo sind. Unterdessen, auf einer sozialen Ebene meilenweit von der amerikanischen Film-Elite entfernt, hat die queere Community in kleinerem Maßstab mit ähnlichen Fragen zu kämpfen. Wenn unsere erste Reaktion auf schrecklichen Missbrauch darin bestand zu erstarren und nichts zu sagen, wie können wir es dann jetzt wieder gut machen? Wie können wir unserer eigenen Heuchelei entgegentreten, unserer Mitschuld?

Die trans Schriftstellerin und Videospielemacherin Porpentine Charity Heartscape schreibt von Austauschbarkeit in ihrer polemischen Schrift „Hot Allostatic Load“, in der sie bitter feststellt, dass Communitys diejenigen bestrafen, auf die sie verzichten können – diejenigen, die plötzlich entbehrlich geworden sind oder es schon immer waren. Heartscape schreibt: „Bestrafung ist nicht etwas, das schlechten Menschen widerfährt, sondern denen, die es nicht verhindern können. Sie ist reingewaschener Schmerz, keine Waagschale für Gerechtigkeit.“ Dieser Satz beschäftigt mich schon eine ganze Weile und wird mich auch weiterhin verfolgen.

Vielleicht fühlt es sich ja deshalb manchmal so an, als würden wir über Rechenschaftspflicht für Missbrauch in der queeren Community sprechen, wenn wir eigentlich über etwas ganz anderes reden: Seit einiger Zeit geht es nur um die Rechenschaftspflicht von bestimmten Leuten, während andere außer Acht gelassen werden. Wir lassen unser Leid an psychisch kranken trans Femmes und queeren Menschen of Colour aus, um unsere liebsten *weißen*, queeren Celebritys und Orga-Leute zu verschonen, genauso wie Hollywood Allen und Polanski verschonte.

Obwohl die aktuelle Entwicklung, mächtige Täter*innen zur Rechenschaft zu ziehen, bei denen zuvor ein Auge zugedrückt wurde – wie Allen, Polanski,

Singer, Spacey -, einen Umschwung des gesellschaftlichen Bewusstseins andeutet, ist die aktuelle #MeToo-Bewegung komplexer und vielschichtiger als gedacht. Über die simple Botschaft des Triumphs der Gerechtigkeit über das Böse hinaus, kann #MeToo das kollektive Trauma und die Kompliz*innenschaft unserer Gesellschaft aufdecken, die sich bis heute fortsetzen, sowohl in den Mainstream als auch in den queeren Communitys.

Auf meine Bemühungen hin, Interviewpartner*innen für diesen Artikel zu finden, um über ihre Erfahrungen mit Missbrauch und Vertuschung durch einflussreiche queere Menschen zu sprechen, erfuhr ich einen eindeutigen Mangel an Rückmeldungen. Diejenigen, die Interesse hatten, bestanden darauf, ihre Geschichten zu anonymisieren und so vage zu halten, dass sie kaum noch nachvollziehbar waren. Es hieß, sie wollten ihre Täter*innen schützen. Es hieß, sie wollten sich selbst schützen.

Während ich 2019 dieses Essay schreibe, bin ich mir einer Handvoll queerer Aktivist*innen, Künstler*innen und Influencer*innen bewusst, die innerhalb der kulturellen LGBTQIA+ Nische nicht nur berühmt sind, sondern auch berüchtigt für bestimmte Verhaltensmuster. Diese liegen auf einer Skala von unangenehmen Flirtverhalten bis hin zu total grenzüberschreitend. Alle wissen, wer diese Menschen sind, und dennoch äußert sich niemensch dazu. Noch können wir nicht auf sie verzichten, nicht so, wie auf andere Mitglieder der Community – beispielsweise psychisch kranke trans Sexarbeiterinnen of Colour.

Seit Jahren ignorieren wir das gewalttätige Verhalten von queeren Celebritys, manchmal sogar seit Jahrzehnten. Wenn das schützende Eis um uns herum schmilzt – wenn unsere kollektive Freeze-Reaktion wutgeladener Kampfbereitschaft weicht –, wer kann dann schon sagen, was dabei zum Vorschein kommt?

Queere Menschen leben in einem Zustand, den manche Psycholog*innen als „pathogenes Umfeld“ bezeichnen, wenn es darum geht, Misshandlung zu benennen, anstatt darüber zu schweigen. Ein pathogenes bzw. krankmachendes Umfeld fördert Krankheiten, und im psychologischen Kontext, psychische Erkrankungen. Dieses Alternativmodell betrachtet Krankheit als etwas, das von der Umwelt beeinflusst wird, anstatt die Ursache im Körper oder Geist des*der Einzelnen zu suchen.

Die heteronormative Gesellschaft stellt für die queere Community ein pathogenes Umfeld dar, denn sie hasst uns, ist uns gegenüber gewalttätig und macht unsere Geschichten unsichtbar. Eine heteronormative Gesellschaft traumatisiert uns, indem sie unsere Sexualität dämonisiert – sodass auch wir am Ende unsere Sexualität, unsere sexuelle Identität, unser sexuelles Selbst hassen. Diesen Hass geben wir von einer Generation zur nächsten weiter, in der Form einer gefährlichen und nicht-konsensualen Sexpraktik, durch Slut-Shaming und Sexnegativität und sexuelle Aggression.

Die Gesellschaft fügt uns sexuelles Trauma zu, und wir traumatisieren uns daraufhin gegenseitig.

In diesem Kampf-Flucht-Freeze-Paradigma des sexuellen Traumas gefangen, verlieren wir die Fähigkeit, uns Lösungen für sexuelle Gewalt einfallen zu lassen außerhalb von Terror, Tod und Überleben - koste es, was es wolle. Wir verlernen uns vorzustellen, dass unsere Geschichten irgendetwas anderes sein könnten als zerstörerisch und wir entwickeln eine Gerechtigkeitsvorstellung, in der dies der Wahrheit entspricht. Trauma gibt uns vor, dass Gerechtigkeit strafend sein muss, damit wir uns wirklich sicher fühlen können. Paradoxerweise neigt strafende Rechtsprechung dazu, unser Maß an Sicherheit zu verringern, da sie immer auch bedeutet, dass andere Menschen verletzt werden (z. B. durch Freiheitsentzug), was es sehr viel unwahrscheinlicher macht, dass sie aus eigenem Antrieb Verantwortlichkeit übernehmen. Dieses System, in dem jede Variante zu Gefahr führt, ist die exakte Definition von pathogen – es macht verrückt; es ist traumatisierend.

Einfacher gesagt bedeutet es, dass ich nicht über die Queers sprechen kann, die mich verletzt haben, da es darauf hinausläuft, dass sie verletzt werden. Sollte ich mich doch dazu entscheiden, etwas zu sagen, könnte es zur Folge haben, dass sie versuchen werden sich selbst zu schützen, indem sie mich verklagen, einschüchtern oder mich sonstigen Formen von Gewalt aussetzen.

Was würde es kosten, eine Community zu erschaffen, eine Gesellschaft, eine Welt, in der wir mit einem sicheren Gefühl unsere Geschichten erzählen könnten? In der wir das Eis unseres Traumas schmelzen könnten, ohne das Land mit unserem Schmerz zu überfluten? Beliebte Antworten auf diese Fragen beinhalten in der Regel Konzepte wie „restorative" oder „transformative" Gerechtigkeit. Die Wahrheit ist leider, dass es nur wenige Modelle gibt, wie diese Form von Gerechtigkeit aussehen könnte.

Die queeren Autor*innen adrienne maree brown, Leah Lakshmi Piepzna-Samarasinha, Ejeris Dixon und Mia Mingus sind ein paar der wenigen Aktivist*innen, die in diesem Bereich bahnbrechende Arbeit geleistet haben. Sie vertreten ein Modell transformativer Gerechtigkeit, welches die Konzepte Bestrafung, Rechenschaft und Heilung klar nebeneinander und in Beziehung zueinander definiert. Das Ziel der transformativen Gerechtigkeit ist nicht, angemessene Strafen zu verhängen, sondern die Umstände an sich zu verändern (transformieren), die dafür verantwortlich sind, dass überhaupt Schaden zustande kommt. Sowohl Opfer als auch Täter*innen von Gewalt werden als grundlegende Bestandteile der Community verstanden, die Halt, Heilung und Unterstützung benötigen.

Wir brauchen eine richtige Bewegung voller Transformativer-Gerechtigkeits-Denker*innen und Macher*innen. Aber für eine solche Bewegung müssen wir unsere Denkweise ändern: weniger Trauma, mehr Mut und Mitgefühl.

Wir müssen das System der Vergeltung transformieren zu einem System des Heilens.

Jenseits der rechtlichen Rahmen, die wir auf Fälle sexualisierter Gewalt anwenden, denke ich, dass wir auch einen neuen Wortschatz entwickeln müssen, um über Sexualität zu sprechen. Wir müssen die Vorstellung loslassen, dass jede Art von sexueller Grenzüberschreitung mit den gleichen Absichten passiert und die gleichen Folgen hat, und besonders, dass sexuelle Aggression etwas Bösartiges ist, das nur von Monstern ausgeht.

Wir müssen uns neue Formen der Sexpositivität einfallen lassen, die mit dem Verständnis einhergehen, dass Sex manchmal wunderschön, manchmal gewöhnlich, manchmal unangenehm, manchmal schmerzhaft, manchmal gewaltvoll sein kann – und manchmal auch ein Mix aus alldem.

Wir werden einen Weg finden müssen, zwischen diesen unterschiedlichen sexuellen Erfahrungen unterscheiden zu können und zwischen den unterschiedlichen Arten von Verhalten, denen sie zugrunde liegen. Nur so können wir mit gewalttätigen Vorfällen angemessen umgehen. Wir müssen uns eingestehen, dass Menschen nicht immer alles richtig machen können, um auf die Bedürfnisse ihrer Partner*innen einzugehen, und dass nicht jedes Fehlverhalten diesbezüglich absichtlich böswillig ist – und dennoch Verantwortung dafür übernommen werden muss.

Auf jeden Fall werden wir uns auch darauf konzentrieren müssen zu verhindern, dass Schaden zugefügt wird, anstatt nur darauf zu reagieren oder nicht zu reagieren, wenn Schaden bereits angerichtet wurde. Wir brauchen eine Praxis in der Community und den Institutionen, die die sozialen Gegebenheiten anerkennt, die Gewalt hervorbringen – ungebremster Kapitalismus, Frauenfeindlichkeit, ein Polizeisystem, welches Communitys of Colour vorsätzlich verfolgt, anstatt sie in Schutz zu nehmen, unzureichende Sozialdienste. Nur dann können wir neue Wege finden, Menschen, die zu Schaden gekommen sind, zu heilen und aufzufangen. Wir brauchen mehr Krankenhäuser und Sozialprogramme statt Gefängnisse und Polizeikontrolle.

Und wir werden unsere Abwehrmechanismen ablegen müssen, diese altbewährten Mechanismen der Dissoziation und Teilnahmslosigkeit, genau wie die Wut und die Rachefantasien. Wir müssen uns trauen, uns wirklich dafür einzusetzen, auch wenn es uns noch so unmöglich erscheint, weil ja genau das unseren Untergang bedeuten könnte. Wir müssen am Glauben festhalten, dass wir uns überleben können, dass wir überleben, weil wir füreinander da sind, weil da etwas auf uns wartet, nachdem das Eis geschmolzen ist.

Das hat mir die queere Community vor langer Zeit mal beigebracht.

grenzen II

dein trauma muss ich nicht
aushalten. nur du
kannst das.
meinen schmerz musst du nicht
ausheilen.
nur ich
kann das.

Auf dass wir uns für die Liebe entscheiden

Gedanken über den Einsatz von Gerechtigkeit

Eigentlich glaube ich nicht wirklich an Gerechtigkeit. Dieser Zweifel weitet sich auf die Konzepte der Rechenschaftspflicht, restorativen Gerechtigkeit, transformativen Gerechtigkeit und eigentlich fast alle Begriffe aus, die sich in den letzten Jahren in der Bewegung für sozialer Gerechtigkeit eingenistet haben. Woran ich allerdings fest glaube, sind Integrität, Ehrlichkeit und persönliche Ehre. Das Wort „Integrität" hört mensch in Bewegungen mit Fokus auf soziale Gerechtigkeit relativ häufig, Ehrlichkeit und Ehre, so wie ich sie kenne, eher seltener. Es sind Werte, die meine chinesische Herkunft mir vermittelt hat. Ehrlichkeit bedeutet in meiner Familie zu sagen, was du meinst, auch, wenn du dich damit unbeliebt machst. Ehre steht dafür, sich so zu verhalten, dass es deine Ahn*innen stolz gemacht hätte, selbst wenn es dich persönliche Opfer kostet. „Ehre" ist jedenfalls kein Wort, das du im Kontext von Bewegungen sozialer Gerechtigkeit besonders oft zu hören bekommst, und ich finde, diese offensichtliche Leerstelle spiegelt sich auch im Verhalten von Aktivist*innen wider. Früher habe ich so richtig an die Gerechtigkeit geglaubt. Ich hatte mich zwar ganz dem Zweck verschrieben, wusste jedoch nie wirklich, was Gerechtigkeit eigentlich bedeutete. Ironischerweise denke ich, dass viele Leute, die „Aktivismus" rund um soziale Gerechtigkeit betreiben – ich benutze hier die modalisierenden Anführungszeichen, da Aktivismus für unterschiedliche Menschen unterschiedliches bedeuten kann –, sich nicht mal so sicher sind, was eine gute Definition von Gerechtigkeit sein könnte. Natürlich gibt es bestimmte Leute, die sich eine Menge Gedanken über eine Definition von Gerechtigkeit gemacht haben, aber auch da, finde ich, herrscht häufig Unstimmigkeit und Durcheinander. Und warum auch nicht? Gerechtigkeit ist eine ganz schön hochtrabende philosophische Idee. In meiner Jugend und als junge Erwachsene gab ich sehr viel für die bloße Idee von Gerechtigkeit auf: Zeit, Energie, Würde, Gesundheit. Ich habe große persönliche Opfer gebracht, um möglichst allen linken Vorstellungen von Gerechtigkeit gerecht zu werden, insbesondere Rechtschaffenheit. Rechtschaffenheit hatte in den Kreisen, in denen ich mich bewegte, viel damit zu tun, die richtige politische Sprache zu verwenden (die sich andauernd änderte) und immer und überall politisch das Richtige zu tun. Solltest du aber unweigerlich wegen eines Verstoßes zurechtgewiesen werden, musstest du ohne Umschweife zugeben, dass du schuldig und „problematisch" warst. Von dieser Herangehensweise gibt es eine ganze

Menge zu lernen – sie lehrt dich, bescheiden zu sein und Menschen in Not zuzuhören, was in meinen Augen fast immer eine gute Sache ist.

Leider führte die Umsetzung von „Gerechtigkeit" in der radikalen Linken in meinem Leben auch zu einer kompletten Aufhebung meiner persönlichen Grenzen (und ich bin ohnehin nicht sonderlich gut darin, Grenzen zu wahren). Eine Zeit lang wurde ich als „gute" Vorkämpferin sozialer Gerechtigkeit in meiner Community anerkannt, denn ich war geschickt darin, die richtige Sprache zu verwenden und die richtigen Dinge zu tun, und ich neigte dazu, mich vorbehaltlos und perfekt zu entschuldigen, wenn ich „Mist gebaut" hatte. Diese Fähigkeit erkenne ich jetzt als etwas, das durch Trauma entstanden ist: Menschen um dich herum andauernd und genau beobachten zu können, um ein Gefühl dafür zu bekommen, welche Bedürfnisse sie haben und diese dann zu bedienen, egal, was für Konsequenzen das für die eigene langfristige Gesundheit hat. Diese Fähigkeit ist eine hervorragende kurzfristige Überlebensstrategie, wie die meisten Traumabewältigungsstrategien, die darauf abzielen, mit der Unvorhersehbarkeit und Grausamkeit von Bestrafung klarzukommen. Leider ist dieses Bestrafungs-Narrativ tief in vielen Bewegungen sozialer Gerechtigkeit verankert.

Ich glaube nicht an Gerechtigkeit, ich habe sie weder selbst erfahren noch konnte ich sie denen gegenüber walten lassen, die mir Schaden zugefügt haben. Außerdem glaube ich nicht, dass es mir guttun würde. Ich habe so viel von mir selbst gegeben, um anderen zu ihrem Recht zu verhelfen, dass es mich schließlich traumatisiert und schwer be_hindert gemacht hat. Das meine ich genau so, wie es klingt, und nicht als Metapher oder um dramatisch rüberzukommen: Es hat mich krank gemacht. Vieles, was ich früher tun konnte, kann ich nicht mehr, ohne dabei unter starken körperlichen oder psychischen Schmerzen zu leiden.

In Social Justice Land, dem Land der sozialen Gerechtigkeit, wurde ich oft von *weißen* Frauen in Machtpositionen eiskalt ausgenutzt und schlecht behandelt. Dies fand öffentlich statt, umgeben von sogenannten Aktivist*innen. Es kam schon mal vor, dass Unbeteiligte im Nachhinein an mich herantraten, um ihr Mitgefühl auszudrücken, doch es hat sich nie jemensch für mich eingesetzt oder mich in Schutz genommen. Natürlich macht mich das immer noch wütend, aber ich verurteile diese angreifbaren Unbeteiligten nicht. Auch ich habe viele Male das Gleiche getan: Ich wurde Zeugin von Ausbeutung oder Gewalt, woraufhin ich versuchte, meine Unterstützung zu zeigen, ohne wirklich Stellung zu beziehen. Diesem Verhalten liegt zweifellos Angst zugrunde – vor Strafe oder dem Verlust von Beziehungen und sozialem Status.

Ich habe oft genug erlebt, wie *weiße* Frauen in Situationen persönlicher Konflikte, der Gewalt oder des Missbrauchs sofort nach Gerechtigkeit rufen. Ich habe auch erlebt, wie andere das getan haben, allerdings wird *weißen* Frauen tendenziell öfter zugehört, da sie von Natur aus als unschuldig wahrgenommen werden. Die ideologische „Unschuld", von der ich hier spreche, bezieht sich nicht nur auf ein buchstäbliches „nicht schuldig, etwas getan zu haben", sondern auch auf die Bedeutung von „Reinheit" und „Tugend", die das Verletzen einer *weißen* Frau zu etwas Gotteslästerlichem oder zutiefst Bösem macht - was sich ohne Zweifel auf die historische Kontinuität der Instrumentalisierung weißer Weiblichkeit als Rechtfertigung für Gewalt gegen People of Colour zurückführen lässt. Vor nicht allzu langer Zeit war es für Männer of Colour üblich, insbesondere Schwarze Männer, gelyncht oder inhaftiert zu werden, weil sie angeblich die Reinheit *weißer* Frauen gefährdeten, eine Praxis, die in verdeckten Formen bis heute fortgesetzt wird.

Interessanterweise habe ich gesehen, wie viele andere Menschen, die keine *weißen* Frauen sind, versuchten, diese „Unschuld" für sich und ihre eigenen Forderungen nach Gerechtigkeit zu beschlagnahmen. Diese Herangehensweise hat erstens zur Folge, dass die „unschuldige" Person von jeglicher Verantwortung befreit wird, und zweitens, dass die „schuldige" Partei einer Strafmaßnahme ausgesetzt wird. Daraus entsteht die Schlussfolgerung: Wenn eine Person etwas Schlechtes getan hat, ist es vertretbar, sie anzugreifen oder Gewalt gegen sie anzuwenden.

Hier im Land der sozialen Gerechtigkeit lieben wir Bestrafung (vielen Menschen in vielen verschiedenen Gesellschaften und Subkulturen geht das genauso). Natürlich tun wir das. Es fühlt sich gut an zu sehen, wie jemensch, der*die dich verletzt hat, die Konsequenzen ihrer*seiner Tat am eigenen Leib zu spüren bekommt. Dieses Gefühl wird auch übertragen, wenn wir sehen, wie eine Person, die jemensch anderem Schaden zugefügt hat, bestraft wird. Ich glaube nicht, dass dieser Vorgang per se verwerflich ist. Ich habe viele Rachefantasien, die mir in bestimmten Lebenslagen extrem viel Trost spenden. Das Problem liegt eher in der Inszenierung von Bestrafung und Rache (und nein, für mich gibt es keinen richtigen Unterschied zwischen Bestrafung und Vergeltung, was dennoch zur Debatte steht): Schmerz und Gewalt neigen dazu, sich wie ein Virus zu vermehren. Strafe führt nicht dazu, dass Gewalt aufhört - im Gegenteil, sie erzeugt mehr davon.

Gängigen Strafformen verleihen wir gerne ein menschliches Image, das heißt, wir sehen sie gerne als eine gewisse nicht-Strafe an, als natürliche und berechtigte Konsequenz. Denn im Moment der Bestrafung fühlt es sich gut an, diese zu vollziehen, erzeugt gleichzeitig aber auch Schuldgefühle. Besonders die Linke sieht sich nicht gerne als Täterin eines Gewaltkreislaufes, weil wir so tun, als würden wir Gewalt verabscheuen. Allerdings lässt sich nicht leugnen, dass selbst der industrielle Gefängniskomplex und das Strafrechtssystem ihre Strafen als moralisch unantastbar darstellen.

Die Linke bevorzugt grundsätzlich „Selbstkritik" und „Rechenschaft" anstelle von Strafen, was in der Regel bedeutet, dass die Person, die sich eines Vergehens schuldig gemacht hat, sich unverzüglich (sofort!) selbst anprangern muss, am besten öffentlich, und sich anschließend vielleicht einer Art Wiedergutmachungsarbeit unterzieht. Dies kann positive Veränderungen bewirken, erfordert allerdings großes Geschick, um erfolgreich zu sein. Niemensch kann uns zwingen, uns augenblicklich persönlichem und spirituellem Wachstum zu widmen – wir müssen aus eigenem Willen dorthin finden, sonst bleiben wir im besten Fall enttäuscht zurück oder im schlimmsten Fall retraumatisiert. Dafür braucht es von allen Beteiligten Zeit, Ressourcen und Mitgefühl. Es bedarf Kompromissen, und der Vorgang ist nicht unmittelbar zufriedenstellend (oder selbst über längere Zeit, um ganz ehrlich zu sein).

In der Kultur sozialer Bewegungen wird Rechenschaft durch öffentliche Bloßstellung und Verurteilung durchgesetzt, was noch lange nach dem Akt der Rechenschaftspflicht Auswirkungen auf die soziale Stellung der Person hat. Kollektive Maßnahmen zur Einschätzung der Wirksamkeit von Rechenschaftsprozessen und des erforderlichen Maßes an Umsetzung sind kaum gebräuchlich. Einige Leute in Social Justice Communitys scheinen ein endloses Bombardement von Online-Aufrufen (und öffentlicher Schuldzuweisung) der Konfliktlösung vorzuziehen. Die Menschenwürde von Personen, die etwas „problematisches" getan haben, wird bestenfalls abgewertet und schlimmstenfalls regelrecht mit Füßen getreten.

Wir alle sind Zeug*innen der Schlammschlachten, die sich in den sozialen Medien abspielen können. Die Leute werden unablässig verbal angegriffen, dafür, dass sie trotz guter Absichten problematische Aussagen machen oder legitime Meinungsverschiedenheiten äußern. Die Bewegung strebt nach Einheitlichkeit, denn diese, sowie Klarheit, verleiht ein Gefühl von Sicherheit. Auch das ist die Sprache, die Trauma spricht. Ich habe außerdem mitbekommen, wie Menschen on- und offline gestalkt und wie vertrauliche Informationen dieser Personen öffentlich gemacht wurden. Ich wurde gestalkt von einer Person, die ich noch nie getroffen hatte, weil ich sie, in ihrer Wahrnehmung, dadurch „misshandelte", dass ich nicht auf ihre Facebook-Freundschaftsanfrage reagierte. Ich habe mitbekommen, wie meine Freund*innen Gerüchte über andere in der Community verbreiteten und dafür plädierten, sie zu meiden und auszuschließen, anstatt ideologische Meinungsverschiedenheiten auszuhalten. In einigen wenigen Fällen habe ich sogar miterlebt, dass sich für körperliche Gewalt gegen Menschen, die andere körperlich missbraucht hatten, ausgesprochen wurde.

Im Großen und Ganzen tendieren wir dazu, zu eskalieren anstatt zu deeskalieren. Um unseren (berechtigten) Wunsch sicherzustellen, dass Unrecht nicht verharmlost oder ignoriert werden soll, verwenden wir hetzerische Sprache, binäre Konzepte von richtig und falsch, und stark vereinfachte Narrative, die in den meisten Fällen die Lage verschärfen sowie Wut und Scham vergrößern. Wir stellen nicht jene Fragen, die eine zentrale Rolle in transformativer Gerechtigkeit spielen: *Warum* wurde Schaden zugefügt? *Wer* ist verantwortlich dafür (neben den einzelnen Täter*innen – also, wie ist die Community darin involviert)? *Wie* kann dieser Schaden in Zukunft vermieden werden?

Zwischen Strafe, Gerechtigkeit und Heilungsprozess muss allerdings unterschieden werden. Bestrafung ist ein zufriedenstellender Prozess des Racheausübens, der gleichzeitig Gewaltkreisläufe aufrechterhält. Gerechtigkeit ist ein langsamer Prozess des Benennens und Veränderns von Gewalt hin zu Wachstum und Wiederherstellung. Sie kreiert jedoch ebenso Frustration und ist schwer fassbar – und endet selten mit einem guten Gefühl. Heilung ist ein Prozess der Regenerierung für diejenigen, die verletzt wurden. Obwohl Gerechtigkeit diesem Prozess zugutekommen kann, ist Heilung meiner eigenen Erfahrung nach eine individuelle Reise, die fast gänzlich getrennt ist von denjenigen, die uns Schaden zugefügt haben. Keine Entschuldigung, Geldsumme oder Bestrafung kann mich wieder zu dem Menschen machen, der ich mal war, kann mir den Körper und den Geist zurückgeben, die mein waren, bevor ich misshandelt wurde. Nur ich kann das.

Ich habe nicht viel Vertrauen in Gerechtigkeit, aber mir bleibt nichts anderes übrig, als daran zu glauben. Die andere Option wäre Nihilismus (der völlige Verlust eines Glaubens an die Menschheit), was ich ablehne. Wir müssen den Nihilismus verwerfen, denn er bewegt sich in die gleiche Richtung wie der Faschismus. Wir müssen Hoffnungslosigkeit ablehnen und uns Heilung zuwenden, egal, wie langsam oder unvollkommen der Prozess auch sein mag. Stattdessen sollten wir uns der Liebe zuwenden – einem Gefühl von Liebe, das stark genug ist, ohne Glauben auszukommen. Ich versuche, meinen eigenen Heilungsprozess zu akzeptieren, ich versuche, mein eigenes schmerzliches und verletztes Leben lieben zu lernen. Ich versuche, adrienne maree browns Vorschlag zu folgen, mich auf Wachstum und ständige Veränderung einzulassen, wie eine Blume, die inmitten radioaktiver Strahlung gedeiht. Ich versuche, der Liebe Wege durch meinen traumatisierten Körper zu zeigen.

Wenn wir also Gerechtigkeitsarbeit leisten müssen, schlage ich vor, dass wir damit anfangen, Gerechtigkeit neu zu definieren. Anstelle von Strafe, Konsequenz oder gar Rechenschaftspflicht könnten wir versuchen, Gerechtigkeit durch eine Ethik der Liebe zu verstehen. Konkrete Schritte zum Aufbau dieser auf Liebe basierenden Gerechtigkeit könnten wie folgt aussehen:

- Wir müssen uns flexible, praxisorientierte Definitionen von Gerechtigkeit ausdenken, damit wir verstehen, was wir eigentlich tun und welche Werte wir teilen. Vielleicht muss es für verschiedene Kontexte unterschiedliche Definitionen von Gerechtigkeit geben, aber ich denke, Gerechtigkeit ist die Benennung von Unrecht und die Veränderung der Menschen sowie der Bedingungen, die das Unrecht aufrechterhalten haben.

• Wir müssen dafür offenbleiben, dass Überlebende von Gewalt auch Täter*innen sein können. Überleben ist weder ein Abzeichen der Unschuld noch ein Schutzschild gegen Verantwortlichkeit.

• Wir müssen uns ernsthaft und entschlossen für die Würde des menschlichen Lebens einsetzen. Wir dürfen nicht dem Impuls nachgeben, Schaden zu verursachen, auch nicht im Namen der Gerechtigkeit. Wir müssen den Instinkt, diejenigen zu demütigen, zu verletzen und zu nötigen, die wir als schlecht oder als Täter*innen betrachten, erkennen, benennen und umwandeln. Kein Mensch ist entbehrlich.

• Wir müssen akzeptieren, dass wir andere nicht zwingen können, ihr Denken oder ihre Überzeugungen zu verändern. Wir können jedoch Grenzen für gewalttätiges Verhalten bestimmen und wir können diese Grenzen durchsetzen.

• Die Arbeit als Mediator*innen erfordert komplexe Fähigkeiten und Erfahrungen sowie ein hohes Maß an Integrität. Die Vermittler*innen eines Prozesses müssen ehrlich und transparent handeln und ein Bewusstsein für ihre eigene Machtposition haben, die ihnen ihre Rolle verleiht. Wie mit jeder anderen Machtposition zieht diese Vermittler*innenrolle Menschen an, die mehr an der Macht als an der Arbeit an sich interessiert sind. Oder sie könnte Vermittler*innen die Möglichkeit schaffen, ihre Machtposition unüberlegt einzusetzen. Es muss Leitlinien und Strategien geben, um die Einflussnahme der Vermittler*innen zu lenken und Missbrauch vorzubeugen.

• Gerechtigkeit herzustellen, bringt nicht immer ein gutes Gefühl für alle Beteiligten mit sich. Wir müssen uns nicht alle mögen und befreundet sein oder Räume teilen wollen. Gerechtigkeit sollte darauf abzielen, zukünftigen Schaden zu verringern und sicherzustellen, dass allen grundlegende Ressourcen zu Verfügung stehen, um ein gutes Leben zu führen, damit wir uns regenerieren können und um das Leben zu genießen – Ja! Wir haben ein Recht darauf, das Leben zu genießen.

• Jede*r hat das Recht auf Unterstützung während der Vermittlungsarbeit. Aktivist*innen, die sich schon länger mit transformativer Gerechtigkeit auseinandersetzen, schlagen einen Ansatz vor, bei dem sich Menschen in „Rudeln“ bzw. Kleingruppen zusammenfinden, um flexible Unterstützungsnetzwerke zu schaffen.

• Die Community muss ihre eigene Verantwortlichkeit dafür anerkennen, Gewalt hervorgebracht zu haben, zu dulden und zu reproduzieren. Wir können nicht Jahre, sogar Jahrzehnte, damit verbringen, schlechtes Verhalten in der Community zu beobachten, es zu entschuldigen, nur um dann urplötzlich schockiert zu sein, wenn Einzelpersonen diese Gewalt benennen. Wir können nicht so tun, als ob wir nichts damit zu tun gehabt hätten, die Dinge zu vertuschen, zu verharmlosen oder sogar Gewalt zu befürworten. Wir können keine Partys schmeißen, bei denen alle total besoffen oder benebelt sind, wodurch körperliche, sexuelle und verbale Grenzüberschreitungen stattfinden, und dann so tun, als seien „Täter*innen" allesamt soziopathische Monster, die unsere sonst so perfekten Communitys unsicher machen.

• Wir müssen uns Liebe zeigen. Wir müssen Liebe ermutigen – eine Liebe, die radikal ist, die unter die Haut geht. Liebe, die auch die unangenehmen Fragen stellt und die bereit ist, sich die ganze Geschichte anzuhören und dich danach immer noch liebt. Liebe für Überlebende, Liebe für Täter*innen, Liebe für die Überlebenden, die Täter*innen sind und die Täter*innen, die überlebt haben. Liebe für die Community, die uns alle enttäuscht hat. Wir leben in einer vergifteten Umwelt. Der Planet stirbt. Wir können uns für gegenseitige Zerstörung entscheiden oder für die Liebe. Selbst wenn alles hoffnungslos erscheint, haben wir immer die Wahl. Auf dass wir uns für die Liebe entscheiden.

das hexenmanifest

eine verrückte ethik für ein furchtloses leben in einer monströsen welt

vorrede.
es gibt ein wesen, das haust im wald. es gibt viele wesen, die hausen im wald. kennet euren feind. kennet euren feind. das dorf ist am waldesrand. im dorf sind die feuer entbrannt. die schatten ragen tief in den wald. im wald, wo die wesen versteckt sind. die häuser stehen im dorf, die fenster sperrangelweit offen. am waldrand, wo die wesen sich verkrochen. die leute im dorf wachend, wartend, der rechte moment kommt sogleich. im dorf sind die feuer entfacht. wählst du dorf oder wald? wohin wendest du dich? zu den schatten im wald oder zum feuerlicht?

I. integrität
für meine wahrheit
würde ich sterben

bin es schon
hundertmal zuvor

was würdest du tun
für deine?

II. ehre
wirst du das brot brechen?
wirst du knochen brechen?
wirst du versprechen brechen?
wirst du herzen brechen?

ich werde mit allen brot brechen, die hungern
ich werde die knochen jener brechen, die andere einsperren
ich werde versprechen auf eigene gefahr brechen
ich werde herzen brechen, um mich selbst zu retten

III. erbarmen
vergebung ist
die mächtigste waffe
(am schwersten zu führen)
in den händen der hexe
erlegt sie den feind

und heilt dich zugleich

IV. demut
ich erinnere mich, als die menschen noch bäume waren. wir waren pures verlangen und haltloser hunger. sie versprachen uns den himmel. wir verzehrten uns nach den sternen. am liebsten hätten wir sie ganz verschlungen. wir vergaßen die sprache des windes, die gnade der stille. vergaßen sonnenlieder, regenlieder und unsere beziehung zu den vögeln. wir fielen. wir fallen. wir knien. hände gegen den boden gepresst, betend: lass es nicht zu spät sein, um wieder zu unseren wurzeln zu gelangen.

V. weisheit
weise niemals
das geschenk einer hexe ab
selbst dann
wenn dornen es umhüllen

VI. kraft
sie
ist
meine
zeugin
ich
verlange
nicht
und
ob ich
schon wanderte
im
finsteren
tal
des
todes
fürchte
ich
kein
unglück
denn
alles
was
ich
berühre

verändere
ich
und
alles
was
ich
berühre
ändert
mich.

VII. liebe
sie verschlingt dich
aus deinem innersten

Eine Schule für Storyteller

Es gab mal eine Zeit, da war ich ganz angetan von der Idee des Poeten*der Poetin, der*des Storyteller oder des*der Schriftsteller*in als Lehrer*in, Heiler*in und Community-Vermittler*in. Dahinter verbarg sich die Überzeugung, dass das Teilen von Geschichten und Vorstellungen mit der Welt (oder das Übertragen von Geschichten anderer Menschen und Generationen) die Verantwortung mit sich bringt, über diese Geschichten mit anderen in Kontakt zu treten. Ich war davon überzeugt, und bin es gewissermaßen immer noch, dass du, sobald du mit deinen Worten wahrhaftige Menschen berührst und deine Wörter aus wahren Begebenheiten schöpfst, für die Auswirkungen, die sie auf die Welt haben, Verantwortung trägst.

Mittlerweile ist mit jedoch klar geworden, wie viel unmittelbare zwischenmenschliche Aufmerksamkeit auf Storyteller gerichtet wird – vor allem heutzutage in den sozialen Medien und durch Personen-Kult. Diejenigen, die die Geschichten hören, suchen (wie eigentlich immer) nach einem Wiedererkennungswert in der Geschichte, von daher ist es kaum verwunderlich, dass sie davon ausgehen, die Grundlage dafür käme von den Erzähler*innen selbst. Diese Suche manifestiert sich oft darin, dass der Erzählerin* Fragen gestellt werden, Wut auf sie projiziert wird oder sie gefragt wird, eine Mentorin, Lehrerin, Freundin*, Ersatzelternteil oder religiöse Anführerin* zu werden. Ohne sich dessen immer bewusst zu sein, verlangt das Publikum von der Geschichtenerzählerin* nicht-einvernehmliche Nähe, zum Teil deshalb, weil sich der Akt des Empfangens einer Geschichte unglaublich intim anfühlen kann. Eine Geschichte kann uns das Gefühl geben, auf eine Weise erkannt und gesehen zu werden, die uns zuvor unmöglich erschien.

Ich finde es wichtig, die Geschichtenerzählerin* nicht mit ihrer Geschichte gleichzustellen. Selbst wenn die Erzählerin* die Geschichte erfunden hat und dafür Verantwortung trägt, dass sie in der Welt ist, sind sie nicht ein und dasselbe. Es besteht ein Unterschied zwischen ethischem Geschichtenerzählen – bei dem es um einen ethischen Umgang damit geht, wo ich die Inhalte meiner Geschichte hernehme und wie ich eine ethische Beziehung mit meinem Publikum eingehe – und dem Einnehmen einer Rolle, in der Fürsorge und Mentor*innenschaft wichtig sind, wozu nicht jede*r Storyteller bereit oder fähig ist. Zum einen ist die Aufgabe einer Geschichtenerzählerin*, Sinn anzufechten, Sinn infrage zu stellen und unser Verlangen nach moralischer Eindeutigkeit sowie allgemeingültigen Wahrheiten ins Wanken zu bringen. Zum andren müssen wir bedenken, dass die Geschichtenerzählerin* eine Künstlerin* ist, was per se keine Qualifizierung für Heilungsarbeit darstellt, sondern vielmehr eine dafür, Kunst zu schaffen. Angesichts der Tatsache, dass Kunst oftmals von traumatischen Erlebnissen herrührt, besteht die Möglichkeit, dass Künstler*innen im Durchschnitt weniger dafür geeignet sind, Heilungs- oder Betreuungsarbeit zu leisten, da diese ein gewisses Maß an Stabilität von der Heilerin* oder Mentorin* verlangen.

Zwei Dinge bereiten mir Sorge: Erstens, die Tendenz der Öffentlichkeit, Geschichtenerzähler*innen Macht und Glauben zu schenken, die ihre eigenen Grenzen nicht erkennen und sich dann als Propheten*innen aufspielen, die ihre Position missbrauchen, um andere auszubeuten oder zu gefährden. Zweitens: das Risiko, dass Storyteller zu Schaden kommen, da sie in verantwortungsvolle, kontrollierte und leitende Positionen gedrängt werden, für die sie vielleicht nicht bereit sind. Im Extremfall werden Storyteller viel zu häufig zur Rechenschaft gezogen und vom Publikum, welches zu viel verlangt, zum Schweigen gebracht, beschämt und/oder gestalkt.

Ein Teil des Problems besteht darin, dass es nur wenige Schulen oder Ausbildungen für Storyteller gibt, in denen nicht alles nach einer kapitalistischen Logik funktioniert, was bedeutet, dass der Bekanntheitsgrad und das öffentliche Auftreten bestimmt, ob unsere Kunst als wertvoll angesehen wird oder nicht. Ja, es gibt Schulen, die die technischen Bestandteile des Geschichtenerzählens lehren (Studiengänge oder Ausbildungen für Creative Writing, Film, Bühne), allerdings gibt es Stimmen, die nahelegen, dass diese Schulen immer mehr darauf abzielen, die Vermarktung statt des Handwerks des Geschichtenerzählens zu vermitteln. Es gibt sehr wenige Orte, die jungen Kreativen die Chance bieten, sich darauf vorzubereiten, die Rolle und Verantwortung des Geschichtenerzählens auf sich zu nehmen. Orte, an denen Erzähler*innen darin unterstützt werden, sich mit Fragen auseinanderzusetzen wie: Was ist die Rolle einer Geschichtenerzählerin* in einer Gesellschaft und der Community? Welche Verantwortungen und Bedürfnisse hat die Erzählerin*? Wem gegenüber muss Rechenschaft abgelegt werden? Was sollte von der Geschichtenerzählerin* nicht erwartet werden? Warum erzählen wir eigentlich Geschichten und für wen?

Die sagenumwobene Schule für Storyteller meiner Träume ist ein großer, weitläufiger Garten am Meer. In diesem Garten sind riesige Steine, versteinerte Lavabrocken, denen der Wind mysteriöse Formen gegeben hat und die sich stets zu verändern scheinen. Es gibt einen Teich voller Goldfische, über den eine hölzerne Brücke führt, mit einer Bank in der Mitte. Es gibt einen Pavillon umgeben von Wildrosen. Und es gibt kleine Holzhütten, jede mit einem Holzofen, gemütlichen Sesseln und Regalen voller Bücher und Puppen, Kostümen, Masken und Musikinstrumenten.

Diesen Ort suchen die zukünftigen Geschichtenerzähler*innen auf, um ihre Talente zu teilen und zu vertiefen. Sie werden von Mentor*innen in ihrem Handwerk unterrichtet, von denen jede*r die Verantwortung für die

Entwicklung bestimmter Lehrlinge übernommen hat, die nach einer sorgfältigen Abstimmung von Interessen, Erzählmedium und künstlerischem Stil ausgewählt wurden. Es wird viel Zeit darauf verwendet, in den Austausch miteinander zu gehen, nicht nur, um über Entstehungsprozess und Verbesserung einer Geschichte zu sprechen (denn es wird davon ausgegangen und darauf vertraut, dass mit genug Raum für Entfaltung und Unterstützung die Geschichten aus der Körperlichkeit der Erzähler*innen ganz von selbst zum Vorschein kommen), sondern auch über die Entwicklung eines umfassenden Erzählethos. Die Erzähler*innen werden darauf vorbereitet, Fragen zu beantworten, die sich damit beschäftigen, warum gerade sie Geschichten erzählen und warum ihnen zugehört wird. Antworten, die sich gewiss mit der Zeit weiterentwickeln und verändern werden. Sie setzen sich mit dem Zweck der Geschichte auseinander, der Bedeutung, dem Wer und Was und Wo und Wann des Erzählens. Sie verfeinern ihre Fähigkeit, Grenzen zu ziehen und sie zu verteidigen – für sich selbst und für jene Geschichten, die sie in die Welt tragen.

An diesem heiligen Hort des Geschichtenerzählens gibt es genug Platz für Entfaltung und dafür, Traumata zu verarbeiten. Gleichzeitig bietet er Platz für ein achtsames Bewusstsein dafür, dass die Geschichte und ihr Erzählen nicht alles ausmacht und das auch niemals so sein wird. Die Geschichte ist ein Traum von Wiedergutmachung, doch sie verkörpert nicht die Heilung selbst. Die Seele muss es von sich aus schaffen, sich zu heilen. Die Geschichte ist der Traum von Revolution, doch sie ist nicht die Revolution selbst. Die Geschichte ist ein Traum von Liebe, dem Anfang aller Liebe und dem Weg zur Liebe, doch es bedarf Menschen, nicht Geschichten, um sich zu lieben. Das ist der Moment, in dem die Erzählenden lernen, dass das Eigenleben der Geschichte und das Leben der Erzählenden getrennt voneinander existieren, wenn auch miteinander verbunden. Die Geschichtenerzählerin* beginnt zu verstehen, dass eine Geschichte zu erzählen und ein erfüllendes Leben zu führen nicht miteinander zu vergleichen sind, auch wenn das eine das andere beeinflusst. Die Erzählenden lernen, dass die Liebe, welche die Zuhörenden für eine Geschichte haben, nicht das gleiche ist wie die Liebe zwischen zwei Menschen. So werden die Erzählenden gleichermaßen befreit, die Geschichte zu erzählen, als auch davon getrennt, um jenseits davon existieren zu können.

Von so einem Ort kann ich nur träumen.

wonach habe ich heimweh?

wonach habe ich heimweh,
wenn ich noch nie zu hause war?

Teil 3
LASST UNS GLAUBEN

Wie der Neoliberalismus sich die trans Befreiungsbewegung zu eigen macht

Im Frühling 2014 setzte das *Time Magazine* die allseits geschätzte Laverne Cox auf ihr Titelblatt und verkündete den „Transgender-Tipping-Point". Dieses Bild fand ich schon immer wahnsinnig toll. Mit blauem Kleid und Heels schaut sie selbstbewusst in die Kamera und fordert mit stolzer Miene die ganze Welt heraus. *Seid ihr bereit für uns?*, fragt ihr Blick. *Seid ihr bereit, uns zu feiern – und all das, was wir zu geben haben?*

Trans, gender-nonkonforme und alle nicht-binären Menschen hatten der restlichen Welt schon immer viel zu bieten: Über Jahrhunderte hinweg wurden gender-nonkonforme, Third-Gender- und Two-Spirit-Individuen für ihr künstlerisches wie spirituelles Können in vielen Gesellschaften auf der ganzen Welt anerkannt. Obwohl die verheerenden Auswirkungen des europäischen Kolonialismus dieses kulturelle Wissen in vielen Communitys erfolgreich unterdrückt haben, ist es immer noch vorhanden und von großer Bedeutung. Die Widerstandskraft und der Einfallsreichtum von trans Menschen haben eine lange Geschichte, die ihren Ursprung im Gedächtnis der Vorfahren kolonisierter Nationen und/oder Gemeinschaften weltweit hat.

Politisch gesehen haben trans Menschen, besonders trans feminine Menschen of Colour, den Weg für LGBTQIA+-Rechte geebnet. Die Legende besagt, dass es eine trans Frau of Colour war (oder „Transvestit", ein einst sozial akzeptierter Ausdruck für trans feminine Menschen), die den ersten Stein während der Stone Wall Riots geworfen hat. Dieses Ereignis wird als die Geburtsstunde der Befreiungsbewegung für LGBTQIA+-Menschen angesehen.

Noch wichtiger allerdings war die Arbeit der trans femininen Aktivistinnen Marsha P. Johnson und Sylvia Rivera – sie gaben sich selbst verschiedenste Zuschreibungen, wie gay, Drag Queen, Transvestit und transgender -, die wahre Grenzgängerinnen waren und innerhalb der queeren Befreiungsbewegung den Weg ebneten, um Jugendliche of Colour, queere Sexarbeiter*innen, wohnungslose Jugendliche und andere benachteiligte Gruppen einzuschließen. Ihr Erbe findet sich in der Arbeit von heutigen trans und genderqueeren Community-Projekten wieder, wie dem *Audre Lorde Project*, dem *Sylvia Rivera Law Project* und vielen anderen.

Die Politik der trans Befreiungsbewegung, im Feuer der Unterdrückung und des Überlebenskampfes geschaffen, war und ist der revolutionäre Funke queeren Widerstands.

Fünf Jahre nach dem sogenannten „Transgender-Tipping-Point" scheint sich allerdings für eine Vielzahl von trans Menschen im Jahr 2019 nicht viel geändert zu haben. Etwas stimmt nicht mit dem Gegensatz zwischen sozialem Wandel, der durch die Medien suggeriert wird, und der anhaltenden Realität von Gewalt, fehlenden Anlaufstellen und Diskriminierung, der trans Menschen nach wie vor ausgesetzt sind.

Im Fernsehen sind mehr trans Menschen zu sehen als je zuvor, doch junge trans Menschen sind nach wie vor überdurchschnittlich von Obdachlosigkeit und Suizid betroffen. Trans Menschen sind sichtbarer als je zuvor, doch antitrans Gesetzgebungen und Diskriminierung greifen überall um sich. Die Rechte von trans Menschen werden immer öfter zum Thema gemacht und in der Öffentlichkeit sowie großen Nachrichtenmagazinen diskutiert, doch trans Frauen, die Schwarz, braun und/oder Sexarbeiter*innen sind, sind weiterhin regelmäßig Opfer von Übergriffen und Mord.

Wie kann das sein? Wie können wir in einer Welt leben, in der trans Identitäten überall und immer wieder zum Thema gemacht werden, ohne dass sie dadurch an Sicherheit gewinnen? Wie können wir in einer Welt leben, in der die Existenz von trans Celebritys – sogar trans Millionär*innen – eine gewöhnliche Lebensrealität ist, in der jedoch trans Menschen als Klasse noch immer extreme Unterdrückung erleiden, und zwar in allen Lebensbereichen, rechtlich wie auch sozial?

Unser revolutionäres Feuer brennt wie immer lichterloh, ich befürchte allerdings, es wurde in die Irre geführt und zweckentfremdet. Irgendetwas macht sich die trans Befreiung zu eigen, und wir müssen um jeden Preis verstehen, was das ist – und wie wir uns dagegenstellen können.

Während meiner Zeit als Sozialarbeiterin betreute ich häufig junge trans und gender-nonkonforme Menschen (die zu jung waren, um sich mit dem Wort „trans" zu identifizieren) sowie ihre Eltern. Vielen der Eltern widerstrebte es sehr, ihren Kindern dabei zu helfen, eine soziale und medizinische Transition zu verfolgen. Ich traf aber auch auf sehr engagierte Eltern, die ihren Kindern bei der Hormonbehandlung halfen und dabei, den Geschlechtseintrag in den Rechtsdokumenten ändern zu lassen – jedoch stets in der Hoffnung, wie mir viele dieser Eltern erzählten, dass „niemand von der trans Identität ihre Kindes erfahren müsse".

Meiner Ansicht nach entsteht die Haltung beider Elterntypen aus einem Gefühl der Liebe und des In-Schutz-Nehmens heraus – ein ganz natürlicher, elternhafter Instinkt. Für mich ist dieser Schutzinstinkt in jeder Kultur ein fester Bestandteil in der Beziehung zwischen Eltern oder Bezugspersonen und Kindern. Welche Eltern wünschen sich nicht, dass ihre Kinder ein „normales" Leben führen können, mit allen Privilegien, die „Normalität" mit sich bringt?

Und dennoch ist „Normalität" in Zeiten des fortgeschrittenen Kapitalismus, Klassenkampfs und politischen Unsicherheiten ein aufgeladener Begriff, mit einer nur allzu häufig aus dem Blick verlorenen Geschichte von Unterdrückung. Hier, im kolonisierten Westen, ist der Standard für ein „normales" Leben nicht nur cis, sondern auch *weiß*, Mitteklasse, monogam, nicht-be_hindert und heterosexuell (vielleicht mit Ausnahme einer gewissen gehobenen, *weißen* Homonormativität, die in der jetzigen liberalen Gesellschaft Anklang findet).

Obwohl es immer gewöhnlicher wird, Geschichten und Berichte über trans Kinder in den progressiveren Mainstream-Medien zu sehen, finde ich es schon interessant, dass der Großteil dieser Kinder *weiß*, blond und bürgerlich ist – und mit sehr hoher Wahrscheinlichkeit ein gutes cis-Passing hat.

Als sichtbar rassifizierte trans Frau, die häufig nicht als cis gelesen wird, habe ich mich manchmal in der seltsamen Position wiedergefunden, *weiße*, bürgerliche Eltern zu unterstützen, die mir besorgt gut gemeinte Fragen stellten wie: *Wird mein trans Kind trotzdem heiraten können? Kinder kriegen können? Die Möglichkeit haben zu reisen? Wird es sichtbar trans sein? Wird es in der Schule, auf der Arbeit, dem Wohnungsmarkt oder beim Dating Diskriminierung erfahren?*

Manchmal kam es mir so vor, als ob diese Fragen mit Andeutungen gespickt waren: *Wird mein Kind so werden wie du? Sichtbar trans, sichtbar ausgegrenzt? Oder noch schlimmer, wird es so enden wie „diese trans Menschen", die zum Überleben Sexarbeit machen müssen und in dunklen Gassen ermordet werden?*

Transition ist ein Grundrecht, zu dem alle trans Menschen jeden Alters Zugang haben sollten. Aber ich glaube auch, dass Transition im besten Falle nur eine Option von vielen sein sollte für körperliche Ausdrucksformen und Selbstbestimmung. Sie sollte nicht etwas sein, zu dem wir uns gezwungen sehen, damit uns andere akzeptieren, oder um unser trans-Sein vor der Welt zu verstecken.

Und Transition, vor allem die medizinische, unter die Hormonersatztherapie, OPs und Fruchtbarkeitsbehandlungen fallen, sollte auf keinen Fall ein Privileg sein, zu dem nur diejenigen Zugang haben, die es sich leisten können.

Diese Eltern brachten ein bestimmtes Bedürfnis zum Ausdruck, das sich bei vielen – wenn nicht sogar allen – marginalisierten Menschen widerspiegelt. Auch ich spüre es. Es ist das Bedürfnis, das Leben der privilegierten Klasse zu führen, existieren zu können, ohne sichtbar anders zu sein, dem System angepasst zu sein, wie es *weiße*, bürgerliche Menschen sind.

Wenn Eltern mit diesen besorgten Fragen auf mich zukamen, zwang ich mich, tief Luft zu holen. Mich auf meine Verantwortung als Therapeutin und Heilerin zu besinnen. Ich dachte über mein eigenes Engagement nach, trans Kindern ein leichteres Leben zu ermöglichen als es mein eigenes gewesen war. Ich gab Antworten, aber stellte auch ein paar Gegenfragen:

*Ja, Ihr Kind wird reisen können, eine*n Partner*in finden und heiraten, wenn dies seinen Wünschen entspricht. Wahrscheinlich kann es eigene Kinder bekommen, je*

nachdem, was es mit seinem Körper machen möchte, und auch Adoption steht wahrscheinlich nicht außer Frage.
Es ist möglich, dass es in manchen Lebensbereichen diskriminiert wird. Was können Sie tun, um es dabei zu unterstützen? Wissen Sie, was es bedeutet, diskriminiert zu werden, und wenn ja, wie sind Sie damit umgegangen?

Ist es Ihnen wichtiger, dass Ihr Kind ein „normales" Leben führt, anstelle eines erfüllten und befreiten?

Das soziale System, in dem wir leben, ist das Ergebnis des fortgeschrittenen, verfallenden Kapitalismus und der Kolonialisierung. Es nennt sich Neoliberalismus. Ich glaube ja, der Neoliberalismus ist die Kraft, die sich das Feuer der trans Befreiungsbewegung einverleibt.

„Neoliberalismus", ein Begriff, der in den 1970ern entstand, bezieht sich auf die Dominanz des Kapitalismus der freien Marktwirtschaft in allen Bereichen des öffentlichen und privaten Lebens. Neoliberalismus sieht vor, dass Menschen keinen Anspruch oder kein Recht auf Waren und Dienstleistungen haben – u. a. Privatsphäre, Gesundheitsfürsorge, Unterkunft und Bildung –, die sie sich nicht leisten können. Im Neoliberalismus werden traditionell staatlich geführte Institutionen wie Krankenhäuser, Schulen und Gefängnisse in Unternehmen umgewandelt und gewinnorientiert geführt.

Dieses Wirtschaftssystem nimmt zusehends jedes Land in der Welt ein.

Der Neoliberalismus untergräbt Menschenrechtsbewegungen schleichend. Er kapert das Denken und Handeln der Aktivist*innen für Menschenrechte, indem er Angst und Knappheit suggeriert, sodass sich unsere politischen Ziele nicht auf mögliche bessere Zukunftsaussichten für alle richten, sondern nur auf das Überleben der*des Einzelnen. Ressourcen anhäufen, Anpassung an einen Status quo, und uneingeschränkter Individualismus liegen dem neoliberalen Bewusstsein zugrunde.

Wir haben bereits mitangesehen, wie der Neoliberalismus die queere Mainstream-Bewegung der sechziger und siebziger Jahre vereinnahmt hat. Es gab mal eine Zeit, da standen LGBTQIA+ -Rechte für radikale politische Forderungen, die sich um freie Liebe, Sozialismus und Solidarität für benachteiligte Gruppen drehte. In den letzten Jahrzehnten hat sich ihr Fokus jedoch immer mehr auf enger gefasstere Ziele beschränkt, die sich hauptsächlich an die Belange von *weißen*, bürgerlichen, cis schwulen und lesbischen Menschen gerichtet haben: das Recht zu heiraten, Kinder zu adoptieren, beim Militär zu dienen und Prestigeberufe auszuüben.

Währenddessen wurde aktivistische Arbeit rund um Armuts- und Obdachlosenbekämpfung und pro-Sexarbeit, wie von den trans femininen Aktivistinnen of Colour Sylvia Rivera und Marsha P. Johnson mit ihrer Gruppe *Street Transvestite Action Revolutionaries* (STAR), in den Hintergrund gedrängt. Auf

Respektabilität erpicht, distanzierten sich die Gruppen der Mainstream-Schwulenbewegung öffentlich von trans Themen und ihren Anführer*innen.

Obwohl es also auch Gay-Rights-„Siege" zu verzeichnen gibt, wie zum Beispiel das Recht zu heiraten in verschiedenen Ländern und die Aufhebung der „Don't ask, don't tell"-Militärpolitik in den USA, bleibt der neoliberale Status quo weitestgehend unangefochten. Die Reichen sind immer noch reich, und die Armen arm. Nur dass jetzt ein ziemlich kleiner Haufen queerer Leute auch zu den Reichen gehört, während die meisten unter uns sich nicht vom Fleck gerührt haben.

Jetzt, wo der „Transgender-Tipping-Point" wieder Fahrt aufnimmt, beobachte ich, wie sich eine neue Generation von Aktivist*innen für trans Rechte zusammenrafft, und ich frage mich, welchen Weg sie wohl einschlagen werden: neoliberale Anpassung oder Revolution?

Als Sozialarbeiterin bekam ich häufig mit, wie sich immer mehr Kinder als trans outeten, überwiegend *weiße* und bürgerliche. Es ist wirklich eine schöne Sache. Sie sind mutig und resilient, und manchmal erfahren sie von ihren Familien sogar Unterstützung während ihrer Transition, damit sie Zugang zu medizinischer Versorgung und Bildung erhalten.

Ich sehe aber genauso viele junge trans Menschen, die meisten of Colour, die von ihrer Familie entfremdet sind, die in Unterkünften oder auf der Straße leben und keinen Zugang zu den Ressourcen haben, die sie für den täglichen Überlebenskampf benötigen würden, mal ganz von medizinischer Versorgung oder Hochschulbildung abgesehen.

Die Sichtbarkeit von trans Menschen ist so hoch wie noch nie, das Bewusstsein für trans Themen war noch nie so präsent. Doch der Klassenunterschied zwischen trans Menschen nimmt stetig zu.

2015, ein Jahr nach dem „Tipping Point"-Titelblatt in der *Times*, erlebte die Welt mit, wie die millionenschwere Reality-TV-Darstellerin und ehemalige Olympia-Athletin Caitlyn Jenner sowohl einen *Glamour Woman of the Year Transgender Champion Award* als auch einen *ESPY Arthur Ashe Courage Award* gewann. Im gleichen Jahr erklärte Jenner in einem Interview, „das Schwierigste daran, Frau zu sein, ist, sich für ein Outfit zu entscheiden", und enthüllte damit eine tiefe Kluft zum tatsächlichen Alltagsleben der meisten cis und trans Frauen.

Die Verherrlichung von Caitlyn Jenner durch die Mainstream-Medien wurde von queeren und feministischen Autor*innen bereits heftig kritisiert. Was ich jedoch an Jenner politisch bedeutsam finde, ist nicht ihr persönlicher Verdienst oder dessen Ausbleiben, sondern vielmehr das wachsende Phänomen der Transgender-Berühmtheit und seine Verbindung mit dem neoliberalen Mythos, dass sich die Dinge für trans Menschen als Klasse verbessern würden, während in vielerlei Hinsicht das Gegenteil der Fall zu sein scheint.

Der Mythos des Außergewöhnlichen ist seit jeher ein Eckpfeiler der neoliberalen Philosophie – die Vorstellung, dass, wenn wenige Menschen es im Kapitalismus „schaffen", auch alle anderen es zu etwas bringen können. Es ist ein Mythos, der den Erfolg eines Individuums mit dem Wohlstand der gesamten Klasse gleichsetzt, und er wird benutzt, um die Barrieren der systemischen Diskriminierung und Gewalt zu verbergen.

Einer neoliberalen Denkweise zufolge gehört der Rassismus in Amerika der Geschichte an, wenn ein Schwarzer Mann Präsident werden kann. Schwarze Menschen, die sich über Polizeigewalt und Diskriminierung beschweren, strengen sich nur einfach nicht genug an. Wenn Caitlyn Jenner ihr Gesicht feminisieren lassen kann und Preise gewinnt, wenn Jazz Jennings sogar ihre eigene Reality Show erhält und wenn Andreja Pejić für *Vogue* modeln kann, dann können doch die restlichen trans Menschen nicht so schlecht dran sein. Wir anderen müssen nur auch berühmt werden, und schwupps – Probleme gelöst!

In Wahrheit sind trans Prominente nicht wirklich dazu imstande, die Lebensrealitäten von trans Menschen als Klasse im Neoliberalismus nachhaltig zu verändern, selbst wenn sie sich aktiv für den Widerstand einsetzen würden.

Laverne Cox und Janet Mock sind zum Beispiel zwei berühmte Schwarze trans Frauen, die sich sehr bemühen, mit selbstorganisierten trans und antirassistischen Aktivist*innen in Kontakt zu bleiben. Allerdings sind auch sie durch die Eigenarten der amerikanischen *Celebrity Culture* beschränkt, die sehr elitär und exklusiv ist. Damit sie ihren Status als Celebritys behalten können, müssen sie sich mit Bedacht zwischen Glamour und Grassroots, zwischen Rebellion und Regelbefolgung bewegen.

Die Darstellung von trans Identitäten in Fashion, Fernsehen und Film ist von großer Bedeutung. Wir müssen uns in den Geschichten, die uns umgeben, wiedererkennen können. Aber wir müssen ein kritisches Auge dafür behalten, wessen Geschichten erzählt werden und warum. Wir dürfen nicht vergessen, dass Repräsentation nicht mit Revolution gleichzusetzen ist.

Mit anderen Worten: Warum hat Caitlyn Jenner, eine wohlhabende Republikanerin, die in einer Reality-TV-Fernsehshow mitspielt, einen Preis dafür gewonnen, trans Menschen zu inspirieren, nicht aber CeCe McDonald, eine Schwarze trans Frau, die inhaftiert wurde, weil sie sich gegen einen lebensbedrohlichen, transfeindlichen Überfall gewehrt hat?

Ich bin nicht die erste trans Person, die solche Schlüsse zieht. Als diasporische trans Frau of Colour entstamme ich einer Linie brillanter Denker*innen und unerschütterlicher Aktivist*innen.

Und ich werde bestimmt nicht eine der Letzten sein. Mit der heranwachsenden Generation junger trans Menschen wie mir, die Zugang zu Bildung und einer öffentlichen Plattform haben, müssen wir uns alle früher oder später die Frage stellen: Welche Kämpfe nehmen wir in Angriff und für wen?

Werden diejenigen unter uns mit den besseren Chancen, innerhalb des neoliberalen Systems erfolgreich zu sein, sich im Alleingang durchwühlen? Oder werden wir gemeinsam versuchen, das Blatt des Kapitalismus und der *weißen* Überlegenheit zu wenden, so, wie es unsere revolutionären Vorläufer*innen vor uns getan haben?

Ich weiß, dass ich nicht in einer Welt leben will, in der trans Menschen nur Zugang zu medizinischer Transition haben, wenn sie versichert sind. Ich will, dass alle die Gesundheitsversorgung erhalten, die sie brauchen.

Ich will nicht in einer Welt leben, in der bürgerliche trans Menschen öffentliche Toiletten benutzen können, die zu ihrer Geschlechtsidentität passen, während wohnungslose trans Menschen aus der Öffentlichkeit vertrieben werden. Ich will in einer Welt leben, in der jeder Mensch ein Dach über dem Kopf hat.

Ich will nicht in einer Welt leben, in der trans Menschen dem Militär oder den Polizeibehörden beitreten und sich an der gewaltsamen Unterdrückung von Menschen of Colour auf der ganzen Welt beteiligen können. Ich will in einer Welt ohne Kriege und Polizeigewalt leben.

Ich will nicht in einer Welt leben, in der trans Menschen in ein Gefängnis gesteckt werden, das ihrem gelebten Geschlecht entspricht. Ich will in einer Welt leben, in der es keine Gefängnisse gibt.

Ich will nicht in einer Welt leben, in der eine Handvoll berühmter trans Menschen Millionen verdienen, während der Rest von uns es kaum über die Runden schafft. Ich will in einer Welt leben, in der alle alles haben, was sie brauchen, um aufzublühen.

Ich will nicht in einer Welt leben, in der bestimmte trans Menschen als normal und andere als Freaks eingestuft werden. Ich will in einer Welt leben, in der unsere verrückte, hässliche sowie wunderschöne Großartigkeit gefeiert wird. Und zwar für ihre Ehrlichkeit, Herrlichkeit und ihre Aussichten.

Meine geliebte trans Familie – sonderbare Schwestern, Brüder, grimmig und gay, Geschwister mit Geschütz: In was für einer Welt wollt ihr leben?

geschwister

wie konntest du mir das nur antun? , sagte sonne zu mond
wie konntest du einfach so mein licht nehmen?
eine träne lief über seine blasse wange.
ich wollte doch nur gesehen werden, sagte mond.

Familie kann mensch sich nicht aussuchen, oder: Warum ich Babys hasse

Es gibt keine*n Homo auf der ganzen Welt, der*die sich nicht nach der perfekten Familie sehnt. Kaum verwunderlich, da die allermeisten von uns eine – mehr oder minder – komplizierte Beziehung zu unseren Eltern haben. Selbst diejenigen unter uns, die das Glück hatten, aus einer wohlwollenden Familie zu kommen, behalten trotzdem dieses Gefühl der Sehnsucht. Es weist wie eine Kompassnadel, die im Herzen ausschlägt, stets in die Richtung eines fernen Ortes, an dem wir endlich sicher sein können. Dort gibt es keine beschämenden Geheimnisse, dort werden wir im Arm gehalten und umwoben und beschützt, wie ein Küken im Ei.

Darum ist die Vorstellung einer *Chosen Family*, oder Wahlfamilie, so tief verankert im Unterbewusstsein der *Queer Community Culture*: Wo Blutsverwandtschaft uns immer wieder im Stich gelassen hat, hoffen wir, dass unsere Freund*innen, Liebhaber*innen und Mentor*innen die Leere füllen.

Wir träumen von Beziehungen, die alles durchstehen, sei es Gay Drama, gute wie schlechte Zeiten, Gesundheit wie Krankheit. Ausgeschlossen von den heteronormativen Institutionen der Ehe und der Kernfamilie, haben Queers sich seit jeher waghalsigeren und kreativeren Vorstellungen von Verwandtschaft und Zukunftsplanung verschrieben.

Als ich anfangs in die queeren Communitys in Vancouver und Montreal kam, habe ich häufig von den radikalen Plänen der anderen Jugendlichen gehört, zusammen aufzuwachsen.

Manche unter uns sehnten sich nach Monogamie und dem häuslichen Leben der Mittelklasse, nach einer queeren Variante dieser Lebensform, die im Buche unserer Eltern erstrebenswert war. Dennoch neigten viele, insbesondere die Uni-Queers, mit asymmetrischen Frisuren und dem Hang, Michel Foucault sogar beim Smalltalk zu zitieren, zu Polyamorie und kollektivem Leben.

Homo-Ehe, sagten die Uni-Queers (meistens mit mehr als einem Anflug von Überheblichkeit), sei so bourgeois und passé. Genauso wie Kernfamilie und Eigenheim. Das rassistische, sexistische, koloniale Heteropatriarchat würde nicht enden, nur weil sich queere Liebe an neoliberale Formen von Familie angepasst hatte. Uns würde niemensch so leicht um den Finger wickeln!

Wir würden ein queeres, urbanes Hausprojekt aufbauen, queere Landpartner*innenschaften mit indigenen Nationen eingehen und trans-inklusive, lesbische Naturkommunen entstehen lassen, die nur im Konsens entschieden. Wir würden Scharen von LGBTQIA+ -Teenagern aufnehmen, die von ihren Eltern auf die Straße gesetzt worden waren und würden sie in die Lehren der Radikalen Queers einführen. Wir würden lernen, Gemüse anzubauen und veganen Käse zu machen. Wir würden Hühner und Kühe halten und auf dem Rücken wild lebender Einhörner mit wehenden, bunten Mähnen über die Wiesen und Felder galoppieren.

Bitte nimm mir meinen Sarkasmus nicht allzu übel, liebe*r Leser*in. Ich muss mich über diesen überschwänglichen, revolutionären Enthusiasmus der Uni-Queers lustig machen, denn ich war eine von ihnen. Ich lehnte den kapitalistischen Individualismus ab, zweifelte an der Anpassungs-Homo-Lobby-Politik und prangerte die Kernfamilie an. Ich wollte der Falle des ewigen Strebens nach materiellem Erfolg und der unweigerlich daraus folgenden Unzufriedenheit, in die meine Eltern allem Anschein nach gefallen waren, entkommen. Mein Leben sollte anders und lebendiger sein. Ich wollte zusammen mit meinen Freund*innen in einem endlosen Kreislauf des geschwisterlichen Teilens eine Existenz schaffen.

Wir orientierten uns an legendären Queers der vergangenen und gegenwärtigen Bewegung: Sylvia Rivera und Marsha P. Johnson, Gründerinnen des STAR House für trans Sexarbeiter*innen in New York City. An den Heiligtümern der Radical Faeries der 1970er Jahre und den Faery-Enklaven, die es immer noch auf der ganzen Welt verteilt gibt. Wir orientierten uns an der radikalen Care-Arbeit, die zwischen lesbischen und schwulen Personen in der ACT-UP-Bewegung und der AIDS-Krise stattfand.

Die Zusammengehörigkeit radikaler queerer Wahlverwandtschaft geht einfach viel tiefer als Blutsverwandtschaft. Wozu brauchten wir schon Ehe, Babys und Eigentumswohnungen, wenn wir doch die Revolution und einander hatten?

Das Problem, liebe*r Leser*in, lag darin, dass die Revolution einfach nicht kam (zumindest noch nicht). Aber die Babys haben uns dann doch eingeholt.

Es gibt da einen Witz von mir, den ich mir (und jetzt auch dir, liebe*r Leser*in) immer wieder erzähle. Und zwar, dass ich Babys hasse – „queere Brut“ nenne ich sie, besonders die Kinder von befreundeten Pärchen. Der Witz ist nicht besonders lustig, es sei denn, du hörst ihn in diesem unbeschwerten und zugleich bittersüßen Ton, wie ich ihn gemeint habe. Erlaube mir, mich zu erklären:

Natürlich *hasse* ich Babys nicht wirklich. Eigentlich mag ich sie sogar ganz gerne. Sie sind recht niedlich, haben zarte Haut, und wenn sie sauber sind, duften sie nach frisch gebackenem Brot. Alle meine kinderhütenden Freund*innen können bezeugen, dass ich sehr gut mit Babys umgehen kann, dafür, dass ich selbst keine habe. Ich weiß, wie mensch sie hält, ihre Windeln wechselt, und ich sehe gnädig darüber hinweg, wenn sie auf mein gutes Kleid sabbern.

Ich habe also kein Problem mit Babys an sich. Mein Problem ist, dass Babys mir meine Freund*innen wegschnappen, und mit ihnen meine Hoffnung auf die Zukunft.

Wahrscheinlich wäre es besser, wenn ich etwas zurückspule. Von dem Zeitpunkt, zu dem wir uns mit Anfang zwanzig in der Community einfanden, bis in unsere späten Zwanziger/frühen Dreißiger, haben die radikalen Queers meiner Generation einen, meiner Ansicht nach, grundlegenden politischen und zwischenmenschlichen Wandel durchgemacht. Wir wurden immer abgestumpfter und verloren an Idealismus. Unsere Wahlfamilien lösten sich in ihre Bestandteile auf, zerrissen durch romantische Trennungen, politische Meinungsverschiedenheiten und, in manchen Fällen, Gewalt und sexuelle Übergriffe innerhalb romantischer Beziehungen.

Die Community fühlte sich immer weniger wie eine wirkliche Gemeinschaft und immer mehr wie eine Szene an, die aus einzelnen Cliquen bestand, lose verknüpft aufgrund ähnlicher Ästhetik und schwammigen politischen Überzeugungen.

Wenn Queers für gewöhnlich ehrfürchtig von Marsha P. Johnson, Sylvia Rivera und dem STAR House erzählen, wird selten erwähnt, dass auch Marsha P. und Sylvia mit internen Machtkämpfen und Trennungen der Bewohner*innen des STAR House zu kämpfen hatten.

Je älter ich und meine queere Kohorte werden, desto weiter scheint der Traum eines gemeinsamen Lebens mit unserer Wahlfamilie in die Ferne zu rücken. Die *weißen* Punks mit Treuhandfonds, die ironischerweise am lautesten waren, als es damals darum ging, schwule Assimilierung anzuprangern, waren als Erste weg: Eine*r nach dem anderen rissen sie sich ihre verschlissenen Anarcho-Jeans vom Leib und fanden sich klammheimlich im Jurastudium wieder. Danach haben diejenigen unter uns, die von ihren zumeist rassifizierten Eltern aus der Arbeiter*innenklasse gelernt hatten, immer einen Plan B zu haben, alles getan, um sich irgendwie finanziell über Wasser zu halten: durch Non-Profit-Jobs, Kunst- und Wissenschaftsstipendien, kommerzielle Sexarbeit.

Natürlich hatten nicht alle von uns Zugang zu den gleichen Mitteln, und so ist es auch immer noch. Manchen Queers fällt es leichter als anderen, sozial aufzusteigen. Manche haben gar keine andere Wahl als kollektiv und von der Hand in den Mund zu leben, und verfügbaren Wohnraum und Ressourcen miteinander zu teilen.

Aber in jeder der sozialen Schichten, in die sich die queere Community seit meiner Jugend aufgeteilt hat, bemerke ich denselben Trend. Wir wollen ja immer noch dieses Gefühl von Zugehörigkeit und Nähe. Wir wollen immer noch eine Zukunft. Aber überall sehe ich queere Bekannte und Freund*innen, die es sich in der Monogamie (oder so was in der Art) bequem machen und (mehr oder weniger) kleine familiäre Einheiten bilden. Damit will ich sagen, immer mehr von uns lassen sich nieder, heiraten und machen Babys.

Wahrscheinlich hätte ich es ahnen sollen. Ich weiß ja, es ist nichts Schlechtes, ganz im Gegenteil. Schließlich marschierten, kämpften und gaben viele Menschen ihr Leben, damit wir heiraten und Kinder bekommen können. Ich weiß.

Ich weiß.

Zwischen 2017 und 2019 wurden neun Babys in meinem Freund*innenkreis geboren. Weitere sind auf dem Weg. Jeden Tag spreche ich mit mindestens einer Person über ihre Pläne, ein Kind zu bekommen und großzuziehen. Ihre Augen sind immer so voller Leben. So voller Hoffnung und Hingabe.

Sonst leuchteten die Augen meiner Freund*innen nur so, wenn wir darüber sprachen, zusammenzuleben, ein Kollektiv zu gründen und zu lernen, wie mensch Lebensmittel auf dem Land anbaut. Zusammen alt zu werden. Zusammen zu sterben.

Die Ankunft eines neuen Lebens ist etwas Wundervolles, und wir feiern es zu Recht. Besonders für Queers, deren Körper und Reproduktionsrechte immer wieder infrage gestellt werden, tragen Geburt und Kindererziehung besonders viel Bedeutung.

Wenn also meine Freund*innen in den Raum platzen, mit glänzenden Augen, vor Aufregung und nervöser Vorfreude kaum aufzuhalten, mir von ihren zukünftigen Babys erzählen zu wollen, freue ich mich ganz und gar für sie. Ich will teil daran nehmen, ich will für sie da sein.

Doch gleichzeitig ist da auch diese gewisse Schwere, die sich wie ein Stein auf mein Herz legt. Ein langsam einsetzendes Gefühl der Akzeptanz, was es bedeutet, wenn deine gute Freundin, deine Wahlfamilie, für die du weder Ehepartner*in noch ein Co-Elternteil bist, ein Kind bekommt. Dein Platz in ihrem Leben hat sich verändert. Die Bedeutung eurer Verbindung ist anders, vielleicht nicht weniger wichtig, aber sie hat eine andere Priorität erhalten. Ich weiß, wovon ich spreche: Ich war eine Familientherapeutin, verdammt noch mal.

Babys zu bekommen und aufzuziehen, verändert unwiederbringlich die Art, wie junge Eltern in Kontakt mit ihrer Umwelt, der Community und der Zukunft treten und sie wahrnehmen. Ein guter Elternteil stellt das Wohlergehen des Kindes immer an erste Stelle – vor Freund*innenschaften, vor politische Projekte, eigentlich vor alles. Kindererziehung wird in der kapitalistischen Gesellschaft, in der wir nun mal leben, größtenteils von der Community getrennt, wodurch die Kernfamilie als Grundbaustein der Gesellschaft hervorgehoben wird. Dadurch werden Eltern unweigerlich von nicht-Eltern getrennt. Neben sehr eng eingegrenzten Arbeitsfeldern wie der Lehre oder sozialer Arbeit spielen nicht-Eltern keine Rolle in der Erziehung.

Bevor in Kanada und vielen Teilen der Vereinigten Staaten die Homo-Ehe legalisiert wurde, war es ganz normal unter queeren Aktivist*innen, Heterosexuelle abfällig als „Breeder“ zu bezeichnen. Natürlich bedeutet das nicht, dass Queers vor Zeiten der Homo-Ehe nicht auch Kinder bekommen haben. Queers haben immer schon Kinder bekommen und sie großgezogen, wenn auch oftmals im Verborgenen, aber die Homo-Ehe kennzeichnete einen Bedeutungswechsel unserer Beziehung zu Familie und Generationsarbeit.

Denn der Zugang, den Queers zu den Vorteilen der Kernfamilie haben, wie Erbe, Erziehungsberechtigung und Care-Arbeit, war immer schon eingeschränkt. Da die Grenzen zwischen Freund*innen und Liebhaber*innen in der queeren Community häufig eher schwammig sind, hat Freund*innenschaft eine nachhaltig wichtige und vorrangige Stellung eingenommen, die so in der heteronormativen Gesellschaft nicht existiert. Wissen wird nicht über Generationen von den Eltern an die Kinder weitergegeben, sondern innerhalb eines informellen Systems von Pat*innenschaften.

Wenn Queers krank sind und im Sterben liegen, sind es unsere Freund*innen, nicht die Familie, von deren Pflege und Fürsorge wir abhängig sind. Wenn wir selbstmordgefährdet sind, stehen uns unsere Freund*innen beiseite. Wenn wir knapp bei Kasse sind, leihen uns unsere Freund*innen Geld. Wenn wir von homofeindlichen und transfeindlichen Menschen verprügelt werden, wir aus unserer Wohnung fliegen, von unseren Eltern auf die Straße gesetzt werden, von unseren Partner*innen rausgeschmissen oder misshandelt werden, dann kümmern sich unsere Freund*innen um uns.

Den Großteil meines Lebens habe ich nach diesem ungeschriebenen Gesetz geführt: *Queers kümmern sich um Queers. Sonst macht es keiner.*

Aber was hat es dann zu bedeuten, dass viele innerhalb meiner queeren Kohorte sich abkoppeln und Kinder bekommen? Einerseits bedeutet es, dass wir viel mehr Rechte als zuvor haben, zumindest manche von uns. Andererseits bedeutet es, dass sich unser Verständnis von queerer Verwandtschaft notwendigerweise verändern muss, wahrscheinlich zum Besseren und Schlechteren gleichzeitig.

Was bedeutet es, Teil einer *Wahl*familie zu sein, wenn diese mit der *biologischen* und *rechtlichen* Familie übereinstimmen muss? Wenn mein auserwähltes queeres Geschwisterchen heiratet und ein Kind bekommt, wo gehöre ich dann hin? Ist „Wahlfamilie" nur ein anderes Wort für „zweitbeste Familie"?

In den letzten Jahren bin ich immer zynischer geworden. Früher hätte ich gesagt, dass ich für die Ideale der Wahlfamilie und einer revolutionären Gesellschaft sterben würde. Jetzt, nachdem ich für diese Ideale buchstäblich meine Gesundheit und Sicherheit riskiert habe, mache ich mir eher Sorgen um mein individuelles, materielles Wohlergehen:

Ich lebe alleine. Ich weigere mich, Aktivismus zu betreiben, solange dieser nicht unmittelbar meinem eigenen Zweck dient. Meine Prioritäten sind, Zeit allein zu verbringen, mich dauerhaft selbst versorgen zu können, ein sehr kleiner Freund*innenkreis und meine romantische Beziehung (nicht immer in dieser Reihenfolge). Meine Eltern wären stolz auf mich, zumindest würden sie sagen: „Haben wir dir doch gesagt."

Wer wird mein Leben mit mir verbringen? Wer wird mit mir kämpfen, sich um mich kümmern, mit mir alt werden und mit mir sterben? Um wen werde

ich mich kümmern? Für wen würde ich sterben? Über diese Fragen mache ich mir gerade sehr viele Gedanken. Ich habe zwar noch eine Wahlfamilie, aber ich denke schon, dass Queers sich nicht sicher sind, was das Wort „Familie" eigentlich bedeutet, unsicher wo es uns hinführt und wozu es uns macht.
Vielleicht zeigt es Unreife, meinen Freund*innen ihre Babys nicht zu gönnen. Ich frage mich, ob alle jungen Erwachsenen, queer oder nicht, diese Phase durchmachen, in der sie sich fragen, wo ihr Platz ist, während sie beobachten, wie überall um sie herum neue biologische Familien entstehen. Ich frage mich, ob es an der Zeit ist, meine Fantasie des kollektiven Lebens und der Freiland-Einhornhaltung aufzugeben und mich ernsthaft zu bemühen, einen Freund, einen Ehemann zu finden, mit dem ich mich niederlassen kann.

Die Wahrheit ist, auch ich habe darüber nachgedacht, Kinder zu bekommen. Eine revolutionärere trans Frau, wie ich sie eigentlich sein sollte, würde davon träumen, in polyamorösen Gemeinschaften zu leben, in landwirtschaftlichen Kommunen, in Kollektiven, in denen Kinder generationsübergreifend von Gleichgesinnten aufgezogen werden. Doch im Grunde meines Herzens träume ich davon, Babys mit einem netten, arglosen hetero Mann im Vorort großzuziehen, mit glänzenden Edelstahlgeräten und einem Vorgarten. Die Koliken unseres Babys würden uns nachts wachhalten, wir würden uns über Noten und Kantinenessen aufregen, uns darüber streiten, ob wir das Kind zum Klavierunterricht zwingen sollten (ich würde das mit einem klaren Ja beantworten). Wir würden uns schreckliche Sorgen machen, wenn unser Kind das erste Mal woanders übernachtet, über die erste Party mit Alkohol, den ersten Autounfall. Wir würden versuchen, nicht zu sehr zu klammern, während es erwachsen wird und seinen eigenen Weg findet. Wir würden einander das Versprechen geben, nicht zuerst zu sterben.

Aber ich bin eine trans Frau, die die Transition hinter sich hat. Ich kann keine Kinder bekommen, nicht im biologischen Sinne. Adoption ist theoretisch möglich, aber in der Realität ein riesiges Hindernis, da die Jugendämter dazu neigen, trans Personen systematisch zu diskriminieren und insbesondere trans Frauen misstrauisch gegenüberzustehen.

Was die Suche nach einem Beziehungsmenschen fürs Leben angeht, wissen alle trans Frauen, dass es sich mit der romantischen Liebe genauso verhält wie mit der Hoffnung: Im besten Fall ist sie ein wankelmütiges Wesen, im schlimmsten Fall eine gefährliche Bestie.

Am Ende des klassischen Kinderromans *Peter Pan* gibt es eine Szene (Spoiler-Alarm), in der der gleichnamige Held seine geliebte Wendy in London aufsucht, nur um festzustellen, dass Wendy in der Zeit, in der er im Nimmerland war, erwachsen geworden ist, geheiratet und eine Tochter bekommen hat. Da ich mich aus einem Pflichtgefühl heraus für gewöhnlich um meine Freund*innen kümmere, habe ich mich immer als Wendy unter den verlorenen Jungs der

Queers gesehen, aber jetzt beginne ich zu verstehen, wie Peter sich gefühlt haben muss.

Früher oder später müssen wir alle das Nimmerland verlassen. Aber wohin führt uns unser Weg als Nächstes?

Was bedeutet es, erwachsen zu werden? Sich der Zukunft entgegenzustellen? Was sind Queers sich einander schuldig? Und was sind wir uns selbst schuldig? Das sind die Fragen unserer queeren Generation, und die der vorherigen. Manche sind zweifellos der Ansicht, dass Erwachsenwerden bedeutet, sich einer heteronormativen Gesellschaft anzupassen, aber diese Möglichkeit haben viele Queers gar nicht. Ich habe sie jedenfalls nicht.

Die Welt, in der wir leben, geht unter, geopolitisch gesehen. Klimawandel und das Wiederaufleben des Faschismus im globalen Norden sind nur die Spitze des sprichwörtlichen Eisbergs. Wir leben am Anfang vom Ende, in der Apokalypse. Wir leben in einer Zeit der Flammen, und die alten Träume sterben: Kapitalismus. Kommunismus. Individualismus. Kollektivismus.

Wir müssen unsere Hoffnung auf die Magie und Widerstandsfähigkeit von Queers setzen, auf unsere Fähigkeit, in unsere Bestandteile zu zerfallen und uns neu zusammenzusetzen, auf die Fähigkeit, Chancen aus Asche zu formen. Ich entscheide mich dafür, daran zu glauben, dass es irgendwo einen Platz für mich gibt in diesem brodelnden Chaos, das wir die Zukunft nennen. Ich entscheide mich dafür, daran zu glauben, dass wir betrauern können, was wir einst waren, und dass wir lernen können, uns so zu lieben, wie wir sind. Dass wir ehren können, was als Nächstes kommt.

Wir können leben und das Leben feiern. Gemeinsam.

da draußen ist eine andere junge frau

irgendwo in der unendlichen weite des multiversums. trans. chinesisch. im westen geboren, das herz voller ostwind und dem feuer des fuchses. allerdings traf sie andere entscheidungen als du, an diesem ort, wo sich unsere wege eng um die spindel unserer albernen, alltäglichen und letztendlich im-großen-und-ganzen-belanglosen schicksale winden.

sie entschied sich für geld. du für die kunst. sie entschied sich für sicherheit. du für das abenteuer. sie für die pflicht. du für selbstverwirklichung. sie, selbsterhalt. du, aufopferung. sie, gesunder menschenverstand. und du, revolution.

sie arbeitet, wahrscheinlich, irgendwo als bankangestellte, oder in einem mittelständischen marketingunternehmen. sie hat ihren eigenen arbeitsplatz neben dem fenster im 16. stock, dekoriert mit postern von covern alter science-fiction- und fantasy-romane. ihr job bedeutet nichts; ein gut bezahlter mangel an berufung, gefüllt mit kalkulationen, memos, e-mails, tage voller bedeutungsarmer phrasen. ihre kolleg*innen sind zwar bevormundend – sie tun nichts lieber, als sie als frau willkommen zu heißen, eine daseinsform, in der sie sich seit mehr oder weniger zehn jahren wohlfühlt –, aber freundlich. sie arbeitet gerne spät, nicht, weil sie sich dem unternehmen besonders verbunden fühlen würde, sondern weil sie die stille genießt und es mag, der sonne beim untergehen zuzusehen. an verregneten oder verschneiten abenden tut sie so, als lebe sie in einer riesigen schneekugel. sie fährt mit dem zug nach hause zu ihrem freund, einem *weißen* jungen, der am wochenende mit seinen kumpels ein bisschen zu viel trinkt, aber ansonsten ein lieber, anständiger kerl ist. sie gucken zusammen filme, kuscheln und haben langweiligen, aber liebevollen sex miteinander.

sie werden keine kinder bekommen. er will keine, und sie kann nicht. zumindest das habt ihr gemeinsam.

es gibt dinge, die sie sich wünscht und andere, vor denen sie angst hat, dieses anständige mädchen, die jedes zweite wochenende ihre eltern besuchen fährt und deren unangebrachte ratschläge mit höflich versteckter langeweile erträgt, doch darüber denkt sie nicht viel nach. diese version deiner selbst hat schöne kleidung, eine hübsche eigentumswohnung, deren hypothek sie sehr langsam abbezahlt. wochenends geht sie joggen, kocht, trifft sich auf einen kaffee mit freundinnen. früher hat sie in einem queeren zentrum in der nähe ausgeholfen, aber damit hat sie aufgehört. die ständigen, politisch aufgeladenen internen machtkämpfe dort hören nie auf, wie eine schlange, die sich in den eigenen schwanz beißt. sie ist weise genug, zu wissen, dass sie so etwas weder braucht noch will. *lass dich nicht von ertrinkenden unter wasser ziehen*. das hat sie im teenageralter mal in einem kurs über rettungsschwimmen gelernt, und im gegensatz zu dir hat sie sich diesen ratschlag zu herzen genommen.

es ist halb so wild, trans, bürgerlich und chinesisch zu sein, jedenfalls in der großstadt, wo anderssein gewöhnlich ist, auch wenn es nicht unbedingt zelebriert wird – aber ist dem auch wirklich so? die cat calls und blicke, die bürokratischen unannehmlichkeiten und die gesellschaftlichen fettnäpfchen ignoriert sie einfach. sie ist erprobt im überleben und weiß zu schätzen, was sie hat. sie versucht, sich nicht nach dem zu sehnen, was sie nicht hat, aber der wind pustet zuweilen kräftig in ihre herzkammern, zerrt an ihren rippen und lässt ihre brust schmerzen.

in sommernächten lässt sie ihren freund gerne im bett liegen und fährt mit dem aufzug ganz nach oben zur dachterasse des gebäudes. dort gibt es einen pool, mit wasser so salzig wie tränen und so blau wie die freiheit. sie taucht ein, hält so lange sie kann die luft an. denkt an meermenschen. wale. quallen. verborgene schätze. sie hält und hält und hält den atem an, bis sie ihr herz pochen hört und ihre lunge schreit. ihre sicht verschwimmt. ihr kopf dreht sich. sie taucht auf, durchbricht die oberfläche. sie lässt sich auf dem rücken treiben und schaut hinauf zu den sternen.

irgendwo da draußen, denkt sie, *in der unendlichen weite des multiversums, ist eine andere junge frau.*

Wie ich auf der Beerdigung meines Großvaters meine Identität wiederfand

An Ethnic Trans Story

Die ersten chinesischen Arbeitsmigrant*innen, die im 18. Jahrhundert in Kanada ankamen, glaubten, dass die Überreste jeder Person, die in diesem kalten, rauen Land gestorben war, nach Hause geschickt werden mussten, um sie im Dorf ihrer Vorfahren zu begraben. Sonst würde die Seele des*der Verstorbenen ein „hungriger Geist" werden, eine verlorene Seele, die auf immer verdammt war, die Ödnis zu durchstreifen. Und es gab viele bedauernswerte Seelen – Arbeiter*innen, deren Körper in den Erdrutschen verloren gingen, die durch den Einsatz von Dynamit für den Bau der *Canadian Pacific Railway* entstanden waren, arme Leute, die es sich nicht leisten konnten, ihre Familie zurück nach China zu schicken. Diese Seelen wandeln noch immer unter uns, wie die Ältesten sagen.

Heute im 21. Jahrhundert komme ich jedoch immer wieder zu dem Schluss, dass wir, ich und die anderen *Chinese-Canadian Queers* der zweiten, dritten und vierten Generation, die hungrigen Geister sind. Uns gebührt dieser Ort zwischen zwei Welten: zu queer für Chinatown, zu *whitewashed* für die urbanen queeren Orte auf dem chinesischen Festland, Hong Kong, Taiwan – Orte, an denen die meisten von uns ohnehin nie gelebt haben. Zu Asian für The Village, die ihre süßen, *weißen* Jungs einfach zu gerne hat.

Mein *Yeh Yeh*, Großvater väterlicherseits, ist vor acht Jahren, 2011, gestorben. Ich habe ihm nie erzählt, dass ich trans bin, und ich weiß auch nicht so genau, ob er etwas damit hätte anfangen können. Ich weiß nicht einmal, ob es ein Wort für „trans" in *Toisanhua* gibt, der Sprache meiner Vorfahren. Das heutige Kantonesisch und Mandarin haben eine Vielzahl von ungefähr gleichwertigen Begriffen entwickelt, mein *Yeh Yeh* war allerdings ein Mann der Arbeiter*innenklasse, der während des Bürgerkriegs und der japanischen Invasion im ländlichen China aufwuchs und nie eine Highschool besucht hat. Ich nehme an, dass er diese Wörter nicht gelernt hat. Aber es gibt vieles, was ich über meinen *Yeh Yeh* zu wissen glaube.

Ich habe nie gelernt, eine der chinesischen Varianten besonders gut zu sprechen. Ich kannte *Yeh Yeh*, solange ich denken kann, aber unsere Unterhaltungen waren auf eine Handvoll gebrochener Sätze in drei verschiedenen Sprachen beschränkt – Englisch, Kantonesisch, *Toisanhua*. Geschichten von drei Generationen verloren sich zwischen den Zeilen der Wörter, die wir austauschten, zwei ganze Lebensspannen *lost in translation*.

Doch manches bleibt uns heilig, egal, wie weit weg du von zu Hause bist. Wenn einer* der Ältesten* von uns geht, muss nach chinesischer Tradition der älteste Sohn jedes Kindes der*des Verstorbenen bei der Beerdigung den Sarg tragen. In meiner Familie war ich das. Es tat nichts zur Sache, dass ich jetzt ein Mädchen war. Ich war trotzdem immer noch der älteste Sohn. Ich hatte eine Pflicht zu erfüllen, eine Rolle, die ich spielen musste, eine Bringschuld durch Blutsverwandtschaft. Das ist chinesische Liebe, die echteste, die es gibt.

An dieser Stelle möchte ich mir einen Moment Zeit nehmen, um darauf hinzuweisen, dass *weiße* Leute Queers of Colour immer nach einer „ethnic gay story" fragen. „War es schwierig, dich gegenüber deiner Familie zu outen?", fragen sie gespannt und mit gierigem Blick. „Sind sie sehr traditionell?" (womit natürlich queerfeindlich gemeint ist). (Es wird immer gleich angenommen, dass die Traditionen von nicht-*weißen* Kulturen queerfeindlich sind.) Liberale *weiße* Leute lieben eine gute *Ethnic Gay Story*. Es bestätigt sie in ihrem Glauben an die Überlegenheit des *Weißseins* und beschwichtigt ihre unterschwelligen Schuldgefühle über die Queerfeindlichkeit und den Rassismus, die immer noch tief in der weiß dominierten, kolonialen westlichen Gesellschaft verwurzelt sind.

Was die *Ethnic Gay Story* außen vor lässt, ist, dass queere Kinder der Diaspora nicht passive Opfer ihrer ach-so-ignoranten, brutalen Familien sind – zumindest nicht so, wie es sich *weiße* Menschen gerne vorstellen. Unsere Beziehung zu unserer Blutsverwandtschaft, und zu uns selbst, ist viel komplizierter als sie es sich vorstellen könnten.

Deswegen glaube ich wirklich nicht, dass ich gezwungen war, mein Frausein hinter mir zu lassen, als ich für die Beerdigung nach Victoria flog und meine punkigen, femme Klamotten nicht einpackte. Als ich mein Make-up entfernte und mir einen schwarzen Anzug und Krawatte anzog, damit ich für den Rest der Welt wieder der Sohn meiner Eltern war, habe ich mich nicht zwischen trans sein und chinesisch sein entschieden. Ich entschied mich für die bedeutsamen Werte meiner Familie - Loyalität, Herkunft, Pflichtbewusstsein, Dankbarkeit gegenüber den Älteren - *und* für die Magie der Queerness: Transformation, Veränderung, Anpassung und Widerstandsfähigkeit.

Vielleicht ist es also gar nichts Ungewöhnliches, dass ich mich stärker und sicherer fühlte als je zuvor, als ich das Gewicht des Rosenholzsarges, in dem der Körper meines *Yeh Yeh* lag, in meine behandschuhten Hände nahm und ihn zusammen mit fünf meiner Cousins hochhob. In diesem Moment, auf dieser Insel, die einen Ozean weit entfernt von dem Ort war, an dem meine Vorfahren geboren wurden, wusste ich, wer ich war: die Tochter meiner Mutter. Der Sohn meines Vaters. Eine Frau, so chinesisch wie keine andere, so robust wie das Eisen und die Knochen, die meine Vorfahren in den Boden stampften, um das Rückgrat dieser kolonialen Nation zu errichten, so queer wie ein aufgehender Neumond.

Es ist nicht leicht, mit Geistern an deiner Seite voranzuschreiten, aber wenn du lernst, ihnen zuzuhören, erkennst du, dass sie dir davon erzählen, wer du bist.

Eine traditionelle chinesische Beerdigung endet mit einem Reinigungsritual. Vor der Tür des Hauses der*des Verstorbenen wird ein Feuer entzündet, und die trauernde Familie springt über die Flammen, bevor sie das Haus wieder betritt. Die Flammen reinigen die Lebenden vom Unglück, und der aufsteigende Rauch hebt die Überreste des Geistes der*des Verstorbenen in den Himmel. Dies ist ein sehr alter Brauch - älter als die Ankunft des Christentums in Asien, älter als die Verbreitung des Buddhismus in China, älter als der Taoismus.

In meiner Familie sah das Ritual so aus, dass wir einige Zeitungspapierrollen in der Einfahrt meines *Yeh Yeh* anzündeten. Stell es dir so vor: Vierzig Chines*innen aus vier Generationen, die in Trauerkleidung um einen Haufen brennendes Papier in einer Einfahrt in einem Vorort von Victoria stehen.

Als ich mich darauf vorbereitete, über das Feuer zu springen, senkte ich den Kopf und schloss die Augen. Ich dachte an *Yeh Yeh*, an alles, was ich ihm nie sagen würde, an die Dinge, die er nie über mich erfahren sollte. In der Ferne ertönten Sirenen.

Plötzlich waren sie ganz nah.

Mit heulenden Sirenen und Blaulicht raste eine kleine Flotte von Feuerwehr- und Polizeifahrzeugen die Straße hinunter. Sie fuhren quietschend auf das Haus meines *Yeh Yeh* zu, und mehrere uniformierte Beamt*innen sprangen heraus. Die Älteren unter uns schreckten schockiert zurück, die Kinder verkrochen sich hinter ihren Eltern und alle anderen, die zwischen zwanzig und dreißig waren, traten schützend nach vorn.

Es stellte sich heraus, dass uns die Nachbar*innen durch die Fenster beobachtet und den Notruf gewählt hatten. Weiß Gott, was sie gesagt haben müssen. Ein asiatischer Kult, ganz förmlich gekleidet, trägt ein satanisches Ritual im Vorgarten gegenüber aus. Obwohl meine Großeltern seit über zwanzig Jahren in dieser *weißen* Nachbarschaft lebten, musste die letzte Ehrung meines *Yeh Yeh* durch Rassismus verunglimpft werden. Manches ändert sich nie.

Ich glaube, mein *Yeh Yeh* hätte über das, was auf seiner Beerdigung passiert ist, geschmunzelt. Ich glaube, er hätte in stiller Anerkennung geschätzt, was ich für ihn getan habe. Ich stelle mir gerne vor, wie ich ihm eines Tages die Geschichte erzählen werde, an dem Ort, wo die Ahn*innen leben, einem Ort zwischen den Welten, wo jede Geschichte erzählt und verstanden werden kann.

trauma sagte

trauma sagte:
„du kannst mich nicht verlassen."
es sagte: „ich lebe unter deiner haut."
trauma sagte: „ich habe dich nie verlassen. ich
bin alles, was du kennst."
ich erwiderte:
„ich bin so viel mehr als das."

Cheongsam-Anleitung für chinesische Transsexuelle

Dies ist die Geschichte meines Frauseins, erzählt durch die Umrisse eines Kleides.

Früher oder später muss jedes chinesische Mädchen in seinem Leben mit dem Cheongsam abrechnen. Auch wenn du diesen Namen nicht kennst, weißt du, wovon ich spreche: dieses Kleid mit hochgeschlossenem Kragen, eng anliegender Silhouette und Schlitzen an den Seiten.

Das Kleid lässt an den verbreitetsten Stereotyp einer ostasiatischen Frau denken: gleichzeitig verklemmt und sittsam, aber auch nymphomanisch hypersexualisiert - mit anderen Worten, die perfekte Fantasie-Puppe eines jeden Frauenhassers. Das Kleid, welches während der letzten 100 Jahre mit der Femininität und Sexualität chinesischer Frauen in Verbindung gesetzt wurde (und wahrscheinlich ostasiatischer Frauen im weitesten Sinne), ist allgegenwärtig und sucht chinesische Frauen überall heim, von Laufstegen über Second-Hand-Boutiquen bis hin zu Drag Shows und Pornos.

In Mandarin ist es auch unter *Qipao* bekannt, und für die Uneingeweihten unter uns ist es einfach nur das „chinesische Kleid". Der Name Cheongsam kommt aus dem Kantonesischen und bedeutet „langes Kleid". Einst ein locker sitzendes Unisex-Kleidungsstück, welches durch die mandschurischen Eroberer im 16. Jahrhundert eingeführt wurde, wandelte es sich im Shanghai der 1920er, das vom europäischen Kolonialismus in Sachen Fashion und Kultur vereinnahmt wurde, zu etwas Modernerem und Aufreizenderem. 1960 tauchte die Schauspielerin Nancy Kwan auf der Kinoleinwand in dem mittlerweile haarsträubend orientalistischen Film *Die Welt der Suzie Wong* auf. Darin eroberte sie Hollywood mit ihrer Darstellung einer Hostess und chinesischer Sexbombe, die einen *weißen* Amerikaner verführt, während sie ein eng anliegendes und freizügiges Cheongsam trägt.

So fand sich das Cheongsam in der Vorstellungskraft der Mainstream-Kultur wieder und ist heute untrennbar mit dem Bild chinesischer Weiblichkeit verbunden. Genau wie chinesische Frauen, hat auch das Cheongsam einen merkwürdigen Doppelsinn auf sich gezogen, wird es doch gleichzeitig als konservativ-traditionell betrachtet wie auch als hochgradig erotisch. Die Beschaffenheit unserer Menschlichkeit, unseres Frauseins, geht zwischen den Zeilen verloren.

Vielleicht ist das ja der Grund, warum Chinesinnen in Hongkong, Taiwan, Festlandchina, Singapur, Kanada und den USA - und überall sonst, wo

Chinesinnen leben - nur noch selten ein Cheongsam tragen. Früher ein weitverbreitetes Kleidungsstück der Mittelklasse, wird es heute kaum noch getragen, außer zu kulturellen Feiertagen und Hochzeiten. Dem gegenübergestellt sehen wir die billigen, verfälschten Abklatsche des Kleides bei *weißen* Hipster-Frauen, bei denen sie als Halloweenkostüm und sexy Verkleidung beliebt sind.

In letzter Zeit bin ich wie besessen vom Cheongsam. Ich habe Torontos Second-Hand-Läden und das Internet nach ihnen durchforstet. Ich trage sie auf der Arbeit und wenn ich feiern gehe. Ich habe Unmengen von Geld für diese Kleider ausgegeben. Im Gegensatz zu den knalligen rot-goldenen Modellen aus Seide, wie es der Stereotyp propagiert, gibt es ebenso Varianten fürs Büro und die Abendgarderobe. Die Kleider sind in einer breiten Palette von Stoffen und Mustern erhältlich, von Paisley bis Polka-Dots.

Als trans Frau und diasporische chinesische Person, die immer schon schmerzlich damit gekämpft hat, sich ihrem kulturellen Erbe zugehörig zu fühlen, war das Cheongsam immer etwas, das gerade so außerhalb meiner Reichweite und gleichzeitig unerreichbar schien. Wie ein Gefühl der Leichtigkeit, von dem ich vorgebe, mich damit durch die Welt zu bewegen. Sobald ich ein Cheongsam anziehe und in den Spiegel blicke, kann ich für einen Moment so tun, als ob eine chinesische Frau zu sein – was auch immer das bedeuten mag – hervorragend zu meinem Körper passt. Genauso wie zu dem der Schauspielerin Maggie Cheung in ihrem einundzwanzigsten (von insgesamt dreiundzwanzig) Vintage-Cheongsam in Wong Kar-Wais Film *In the Mood for Love – Der Klang der Liebe*.

Das Problem ist nur, die meisten Cheongsam lassen sich nicht so leicht tragen. Das figurbetonte Design des Kleides, das den patriarchalischen chinesischen und europäischen Normen weiblicher Schönheit entsprechen soll, erschwert das Atmen und macht es unmöglich, sich frei zu bewegen. Da der Schnitt des Cheongsam eine Sanduhrsilhouette hervorheben (oder erzwingen) soll, schmeichelt es bei Weitem keiner großen Bandbreite an Körperformen.

Während ich in Meetings auf der Arbeit sitze, umgeben von *weißen* cis Frauen, und in meinem Cheongsam kaum atmen kann, fühle ich mich manchmal fast genauso steif und unterdrückt wie die Vorzeigefrau eines Patriarchen, wie eine überholte feministische Theorie, wie der personifizierte Traum eines Kolonisators Asiens. Wenn ich in Chinatown einkaufen oder mein Lieblingsgericht mit gesalzenem Fisch und Reis essen gehe, ernte ich schon mal Blicke von anderen chinesischen Leuten, die von amüsiert bis regelrecht feindselig reichen.

Selbst mein *weißer* Freund ist sich der Aufmerksamkeit und Geschichte, die das Cheongsam auslöst, bewusst. Einmal hat er gesagt, es sei ihm unangenehm, mit mir gesehen zu werden, während ich ein Cheongsam trage, weil die Leute ja denken könnten, dass er mich als Teil eines Fetisch-Rollenspiels dazu zwinge, es zu tragen!

Zu meiner eigenen Überraschung treibt mich all das noch mehr dazu, das Cheongsam Teil meiner Garderobe und meines Lebens zu machen. Trotz seines ganzen sinnlichen und verführerischen Glamours halte ich es für möglich, dass das Cheongsam mehr verdeckt als es offenlegt. Vielleicht ist das ja das Geheimnis unserer Identität als chinesische Frauen, in alle Himmelsrichtungen und Zeitalter verstreut. Ein Weg, der uns zu dem führt, was wir sein wollen.

Das erste Kleid, das ich in der Öffentlichkeit trug, war ein Cheongsam. Das war, bevor ich transitionierte, bevor ich mein Haar lang wachsen ließ, bevor ich mich überhaupt als Frau bezeichnete. Ich trug es während einer Drag-Dance- und Spoken-Word-Performance. Anders als das schlichte Cheongsam aus Baumwolle, welches ich heute trage, war das Kleid damals ein Geschenk der aus Hongkong stammenden Mutter meiner besten Freundin. Es war aus leuchtend roter Seide, die Farbe für Stolz und Glück, und mit Drachen und Goldstickereien verziert.

Dieses Kleid war Anfang und Ende zugleich: der Anfang meines Frauseins und das Ende meines Jungendaseins. Meine chinesische Vergangenheit und meine diasporische Gegenwart. Ich kann mich noch gut an das Gefühl der Seide auf meiner Haut erinnern. An meinen Mut und meine Mutlosigkeit. Wie das Kleid zu einem Teil von mir wurde, während ich auf und ab hüpfte und mich im Kreis drehte. Als ich sang. Als ich Feuer spuckte.

wachsen

kein wort darüber,
was zwischen uns war.
sondern darüber,
was danach geschah:
meine haut wurde zum schleier,
während das gift deiner vergangenheit
durch meine knochen kroch.
organe aus stein, leber auf eis
elektroschock-signale
vernetzt mit der matrix der
nerven, die mein hirn, herz und
rückgrat verbinden.
gedanken auf repeat gestellt
muskeln durchzogen
von erinnerung: trauma, das ist der körper,
der zeit entzerrt.
kein gebet konnte
mich damals erreichen
kein weihwasser konnte dieses fleisch salben.
glaube ist das gewebe, das uns alle
an die gestirne
des alls bindet.
glaube ist vertrauen in die welt,
und meines war zerrissen.
als sie mich einholten
mit glänzenden augen und offenen armen,
konnte ich nicht ausmachen,
wer da war, um zu helfen
und wer, um sich zu laben.
nun lebe ich im erdreich
gedärm voller gestein
augen voller dreck.
gewürm windet sich
in den kammern meines herzens.
doch kein wort darüber,
was zwischen uns war.
lass uns vom sprössling sprechen,
der aus meiner kehle sprießt.
vom leuchtenden pilz,

der meinem schädel entspringt.
von den blumen, die immer noch
in jedem toten teil
von mir
blühen.

Wo ist sie hin?

Eine trans Girl Geistergeschichte

Dieses Essay ist eine Geistergeschichte, ein Liebesbrief und ein Kriminalroman.

Ich habe zu viele Mütter geliebt, die ich nie kennenlernen durfte. Sie sind zwischen den Zeilen der Welt verschwunden, nachdem ich, wenige Sekunden zu spät, als Frau in die Welt getreten bin. Wie eine Prinzessin aus einem Märchen, hinterließen sie eine Spur Feenstaub, einen schimmernden Pfad vager Hinweise: Kunstwerke, politische Streitschriften, Grassroots-Community-Projekte und Angebote, die sie mit kleinstem Budget aus dem Boden stampften. Die Spuren ihrer herausragenden Lebenszeit, die kostbaren Geschenke ihres Kampfes und ihre Überlebenskunst zeigen sich in all ihrem glorreichen Glanz für alle jungen trans Frauen, die wissen, wo sie danach suchen müssen. Die Frauen selbst sind allerdings spurlos verschwunden.

In meinen frühen Zwanzigern, als ich in Montreal lebte und noch mit einer Transition liebäugelte, gab es in Nordamerika bereits eine Handvoll bekannter trans Frauen - meist Künstlerinnen, Aktivistinnen und Sexarbeiterinnen, einige arbeiteten aber auch in der Modebranche oder im Gesundheitswesen. Die Medien verbreiteten die gleichen Geschichten (wenn auch nicht besonders politisch differenziert), wie sie es heute noch tun, wenn es um trans Frauen geht, wie zum Beispiel Janet Mock und Laverne Cox: Geschichten einer „*Gender Revolution*“, über die Ausweitung gesellschaftlicher Grenzen, über tragische Familiengeschichten, die in einer triumphierenden Eroberung von Körper und Seele ein Happy End finden.

Als Autorin und Performerin ist mir schon öfter aufgefallen, dass cis Reporter*innen dazu neigen, alles, was mit trans zu tun hat, als etwas „Neues“ und „Bahnbrechendes“ zu deklarieren. Allerdings gab es in jeder Generation der westlichen Medien seit den 1930ern berühmte (oder eher berüchtigte) trans Menschen. Zum Beispiel Lili Elbe, die Europa als eine der ersten Frauen empörte, die sich in Deutschland einer Geschlechtsangleichung unterzog.

Die Öffentlichkeit lässt sich von Geschichten über trans Frauen in den Bann ziehen, oder eher von dem, woraus unsere Geschichten ihrer Vorstellung nach bestehen: glamouröse, skandalöse, prickelnde Tragik. Diese Perspektive auf unsere Geschichten erhält sich auf Dauer selbst aufrecht und lässt dabei völlig die viel zu alltägliche Profanität unserer Leben außer Acht, während sie gleichzeitig die kulturelle und historische Zeitgeschichte ausklammert, die gegenwärtige trans feminine Individuen als ihr Erbe antreten. Trans Frauen werden stets als schockierende Neuheit dargestellt, trotz der Tatsache, dass wir über verschiedene Kulturen hinweg seit Anbeginn der Geschichtsschreibung immer schon Teil des Zusammenlebens waren.

Und doch wird eine trans Frau jedes Mal, wenn sie in der Öffentlichkeit transitioniert – und in dieser Ära der sozialen Medien und fortgeschrittenen Überwachungskultur tut das jede trans Frau –, sofort in die Rolle gepresst, die von der Kultur vorgegeben ist. Für die Konservativen ist sie eine Sexsünderin, für die Liberalen eine tragische Heldin und für die Linksradikalen eine revolutionäre Heilige. Als überlebensgroßes Symbol steht sie allein da. Symbole stehen eigentlich immer allein da.

Anfang 2010 wurde ich während des kulturellen Moments, der im Westen gängigerweise als „Tipping Point" bezeichnet wird, als junge trans Frau erwachsen. Damit einher ging eine Art Renaissance von trans Inhalten in den Medien. Was so viel bedeutet wie: Jetzt gab es trans Menschen im Fernsehen, (manche davon) von echten trans Menschen gespielt. In meinem eigenen Arbeitsfeld des Schreibens und der darstellenden Künste konnte transgender Fiction und Lyrik endlich aus der Sparte Erzähl-mir-Alles-von-Dir-Memoir ausbrechen, auf die wir seit jeher beschränkt waren.

Ich war eine der ersten trans Femmes in meiner queeren Kohorte, die transitionierte. Ein Prozess, der durch meinen Bekanntheitsgrad als Künstlerin, Autorin und Person, die viel unterwegs war, um ein Hundertfaches öffentlicher war als bei anderen (es ist nicht besonders schwer, innerhalb eines kleinen Pools aus queerer Kunst und Kultur berühmt zu werden.) Dadurch wurde ich ohne mein Zutun oft automatisch zur „großen Schwester" für viele trans Femmes, manche unter ihnen älter in Lebensjahren, aber mit einem späteren Outing als ich es hatte. Diese Beziehungen wurden oft zu einer kurzen, aber intensiven Freund*innenschaft, in der die andere mich bat, ihre Mentorin zu sein, mal mehr, mal weniger direkt.

Für eine heranwachsende trans Femme ist Mentor*innenschaft alles: Wir brauchen Mentor*innen, die uns zeigen, was dir gut steht, wie du dich schminkst, wie du dich bewegen sollst, wie wir Übergriffe auf der Straße und sexuelle Belästigung überleben können, wie Sexarbeit funktioniert (häufig die zuverlässigste Quelle für eine trans Frau, um über die Runden zu kommen), sowie tausend weitere Tipps und Tricks.

Eine „große Schwester" zu sein, ist oft heikel. Viele meiner „kleinen Schwestern" sind bis heute einige der wichtigsten Menschen in meinem Leben, doch die Verantwortung, die diese Rolle mit sich bringt, ist angsteinflößend, besonders wenn die Mentorin selbst noch jung und sehr unerfahren ist. Mit Anfang Zwanzig fing ich an, andere zu betreuen. Es war nie wirklich eine Wahl – denn es hätte sonst niemensch gemacht. Es gibt vieles, das ich im Nachhinein gerne früher gewusst hätte, damit ich es weitergeben und eine noch bessere „große Schwester" hätte sein können.

Die Frage, die ich mir selbst immer wieder stellte, war: Wo waren meine großen Schwestern? Wo waren meine Vorgängerinnen? Wo waren die älteren trans Frauen in meinem Leben, die trans Frauen, die es geschafft hatten, die leidenschaftlichen trans Frauen, die alles überlebt hatten, über die die Queer Culture so gerne Geschichten spinnt?

Als ich 2016 nach Toronto zog, hoffte ich, eine bestimmte trans Künstlerin zu treffen, deren Arbeit nach wie vor zu der faszinierendsten und brillantesten zählt, die ich kenne. Sie hatte eine glänzende Karriere, als ich in Montreal lebte – sie trat in Theatern auf und wurde in Zeitungen vertreten, sie schrieb selbst und spielte auf den Bühnen und es sah so aus, als wäre sie in aller Munde. In den Videos, die ich mir von ihr ansah, war ich von ihrem mitreißenden Zauber beeindruckt, ihrem unverkennbaren Genie. Sie hat für viele trans Denkerinnen und Künstlerinnen Türen geöffnet, die uns noch immer offenstehen. Ich ging nicht davon aus, mich mit ihr anzufreunden, oder dass sie mir in irgendeiner Form zur Seite stehen würde. Ich hatte einfach nur diese Vorstellung, mal im selben Raum wie sie zu sein und davon inspiriert zu werden. Die trans Community ist klein, noch kleiner, wenn wir von den Künstler*innen sprechen. Ich ging irgendwie davon aus, dass wir uns früher oder später über den Weg laufen würden.

Doch als ich endlich in Toronto angekommen war, schien sie aus der Öffentlichkeit verschwunden zu sein. Ihre Auftritte, einst so zahlreich, schienen – vorerst – beendet zu sein. Als Antwort auf gelegentliche Nachfragen gingen Gerüchte über diverse Unfälle um, die ihr zugestoßen sein sollten. Aus Respekt vor ihrer Privatsphäre hakte ich nicht weiter nach. Nur, weil mir ihre Arbeit viel bedeutete, hieß das noch lange nicht, dass ich irgendein Recht darauf hatte, über ihr Leben Bescheid zu wissen (etwas, das „Fans“ von trans Künstler*innen und Medienschaffenden immer wieder zu vergessen scheinen).

Aber ich frage mich trotzdem: Wo war sie hin?

Das cis Publikum lebt unter dem Eindruck, dass trans Frauen keine Mütter sein können, weil wir „unnatürliche“ Frauen seien. In Wahrheit ist die trans Frau als Mutter, Ernährerin und Beschützerin einer der bedeutendsten Archetypen in den Narrativen queerer Kultur.

Das berühmteste Beispiel dieses Archetyps sind zweifellos Marsha P. Johnson und Sylvia Rivera, zwei rassifizierte trans feminine Personen (heutzutage sagen viele trans Frau, aber sie nannten sich selbst bekanntermaßen unter anderem Drag Queen oder Transvestitinnen – Sprache verändert sich mit der Zeit). Sie gründeten das *STAR-House* für Jugendliche und trans Sexarbeiter*innen. Diese zwei Heldinnen sind in den politisierten queeren Communitys für ihre radikale Politik und ihre Grassroots-Orga-Arbeit zum Heiligenstatus erhoben worden, denn sie ermöglichten jüngeren Queers und trans Menschen ein Dach über dem Kopf, die nötige Fürsorge und übernahmen im Wesentlichen die Mutterrolle.

Doch diese Rolle als trans Mutter war nicht nur Marsha P. und Sylvia vorbehalten. Ihre Arbeit macht eine kulturelle Tradition zwischen trans Frauen unter sich aus, die immer wieder außer Acht gelassen oder vergessen wird. Besonders in der sehr rassifizierten Ballroom-Szene in Nordamerika kamen trans Frauen und junge Queers als Ausgestoßene zusammen und bildeten Familien, die aufeinander aufpassten. Eine Tradition, die derzeit durch die Mainstream-Fernsehserie *Pose* veranschaulicht wird. Die Häupter dieser Familien waren ältere trans Frauen, die mit mehr Erfahrung und dem gewissen Knowhow Respekt ernteten und eine essenzielle Rolle spielten, wenn es um queeres Überleben ging. Diese Bräuche der zwanglosen „Wahl" -Familie (über das „Wahl" lässt sich streiten, da es oft überlebenswichtig war) sind meiner Meinung nach immer noch ein aktiver Bestandteil der Szene an vielen Orten.

Obwohl die trans Mutter des Hauses viel Raum in den Erzählungen der urbanen queeren Communitys einnimmt, fehlte in meinem eigenen Leben ihre tatsächliche Verkörperung gänzlich. Schwestern habe ich viele, aber Mütter? Keine. Ich habe sehr wenige trans Frauen kennengelernt, die älter als vierzig waren, und diejenigen, die ich kenne, neigen eher dazu (verständlicherweise), die Rolle der „Älteren" oder „Mutter" abzulehnen, da sie sich zu jung oder der Rolle nicht gewachsen fühlen.

Es gibt eine Generationslücke zwischen älteren trans Frauen, die in den 1990ern und 2000ern aufgewachsen sind, und denen, die danach transitionierten. Diese kulturelle Kluft beruht nicht nur auf unterschiedlichen Ansichten, sondern vielmehr auf einem Mangel an Kontakt und Kommunikation zwischen uns. Für junge trans Frauen ist es schwierig, ältere trans Frauen als Muttersatz oder Mentorin zu finden – was den Fokus, den die derzeitige trans Kultur auf transgender „possibility models"[6] und Celebritys legt erklärt.

Ein weiterer Grund für die Kluft sind die Folgen der AIDS-Krise, deren Darstellung ihren Fokus häufig auf die Schicksale schwuler Männer legt. Trans Frauen waren allerdings auch betroffen, nur wird ihr Sterben in sozialwissenschaftlichen Erhebungen oft als „Männer, die Sex mit Männern haben" eingestuft. Viele der trans Frauen aus der Generation vor meiner sind schlicht und ergreifend gestorben, bevor wir sie kennenlernen konnten. Transfeindliche Gewalt, die hauptsächlich trans feminine Sexarbeiter*innen trifft, forderte weitere Opfer.

Aber viele trans Frauen haben überlebt und tun es auch immer noch. Dennoch scheinen sie alle zu verschwinden.

6 Anm. d. Ü.: Sog. *Possibility Models* sollen im Gegensatz zu *Role Models*, also Vorbildern, den jungen queeren Menschen richtungsweisende Hilfestellung geben, indem ihnen Raum gegeben wird, ihren eigenen Weg zu finden, anstatt sich an einem Vorbild zu orientieren.

Die Legenden über trans Frauen und was sie geleistet haben, um die Lebensbedingungen ihrer Schwestern zu verbessern, sind in queeren Archiven überall auf dem Kontinent und im Internet zu finden. In jeder größeren Stadt mit einer trans Community lässt sich die Arbeit von trans Frauen, die Aktivistinnen und Künstlerinnen waren oder Community-Arbeit geleistet haben, entdecken. Torontos stabiler, gemeinnütziger LGBTQIA+ -Sektor, der heute buchstäblich Dutzende von LGBTQIA+ -spezifischen Gesundheits- und Sozialdienstleistungen anbietet, fand Anstoß durch die Arbeit einer kleinen Gruppe von trans Frauen.

Ihre Namen und Beiträge, ihre Schriften, Kunstwerke und ihr Aktivismus sind der queeren akademischen und Archivarbeit heilig. Jüngere trans Aktivist*innen und Menschen in der Kulturbranche nennen sie oft als Inspiration und Pionierinnen.

Der Großteil (es gibt immer Ausnahmen) dieser Wegbereiterinnen ist allerdings allem Anschein nach aus der Öffentlichkeit verschwunden. Umso bekannter eine trans Frau ist, umso plötzlicher verschwindet sie komplett und ohne Vorwarnung von der Bildfläche. Eine befreundete Person und ich reden darüber scherzhaft als das „zwischen den Welten wandeln"- Phänomen, wie ein rätselhaftes Ritual in einer dystopischen Gesellschaft, die fast nur aus jungen Menschen besteht.

Vielleicht ist dir aufgefallen, dass ich in diesem Essay keine der trans Frauen namentlich genannt habe – außer Marsha P. und Sylvia Rivera –, obwohl es ganz normal wäre, dies zu tun, um die Menschen angemessen zu würdigen und anzuerkennen. In diesem Fall respektiere ich die Menschen, von denen ich spreche, allerdings mehr, wenn ich sie nicht nenne oder Aufmerksamkeit auf sie richte. Leute, die eine Entscheidung getroffen haben, sich der Öffentlichkeit zu entziehen, bleiben wahrscheinlich lieber unerkannt. Jetzt, wo so viele in der queeren Befreiungsbewegung so sehr mit Sichtbarkeit und Repräsentation besessen sind, denke ich, dass trans Frauen ohnehin nie ein Recht auf Privatsphäre hatten.

Sexarbeit und die Community der Sexarbeiter*innen sind schon seit einiger Zeit Teil meines Lebens, wie für viele trans Frauen. Wenn du eine junge trans Frau mit trans femininen Freundinnen bist, hast du mit hoher Wahrscheinlichkeit über zwei Ecken mit Sexarbeit Berührungspunkte. Wie viele andere Dienstleistungsbranchen, kann sich Sexarbeit sowohl lohnen als auch eine einzige Qual sein. Für trans Frauen, die Sexarbeit leisten, sind die Risiken um einiges erschwert durch Transmisogynie und die Stigmatisierung unserer Sexualität. Aufgrund dieser Gefahren ist eine zwanglose Beziehung mit trans Frauen, die mehr Erfahrung haben und Hilfe leisten können, lebenswichtig.

Ich hatte auch schon mal überlegt, Sexarbeit zu machen, aus finanziellen Gründen und, weil ich dadurch eine prekäre Situation verlassen wollte. Damals

konnte ich keine andere trans Frau finden, die mir die nötige Hilfestellung hätte geben können – ich hatte viele cis Freund*innen, die Sexarbeit leisteten, doch es liegen oft Welten zwischen cis und trans Sexarbeit. Also tat ich das, was Millennials am besten können – ich googelte: „How to be a trans woman sex worker". Ich war überaus entzückt, einen Zwölf-Punkte-Artikel zu finden, der auf informative sowie persönliche Art und Weise von einer älteren trans Frau verfasst worden war und genau das beinhaltete, wonach ich suchte.
Ich verschlang alles, was darin stand. Hoffnung, zuletzt! Endlich die Führung, nach der ich mich sehnte. Endlich der Beweis dafür, dass Mädchen wie ich in einer Branche überleben konnten, die von den Medien buchstäblich gleichgesetzt wird mit Suizid. In der Hoffnung, dass ich mehr von der Autorin lesen könnte, googelte ich ihren Namen. Leider fand ich heraus, dass sie sich nur ein Jahr zuvor umgebracht hatte.

Da ist etwas, was brillanten trans Frauen immer wieder zustößt. Und irgendwie reden wir nicht besonders oft darüber. Eine Geschichte, die sich stets aufs Neue wiederholt: Wir platzen ins Leben, gebären uns selbst. Wir verbrennen wie Sterne, die ums Überleben kämpfen. Doch wie Eintagsfliegen schweben wir nur für einen kurzen, hellen Moment, bevor wir uns wieder auflösen.

Immer wieder stoße ich auf die Namen von trans Frauen, die vor mir da waren, nur um herauszufinden, dass sie nicht mehr unter uns sind – ob durch Tod oder Suizid oder weil sie dem Wahnsinn verfallen sind, in dessen Strudel sie sich so sehr verloren, dass wir sie nicht mehr erreichen konnten.

Durch meine Erfahrungen in Communitys von trans Frauen und Sexarbeiter*innen habe ich viele tolle Bekanntschaften geschlossen mit genialen und revolutionären trans Frauen. Doch ich kenne keine einzige, die nicht schon mal ernsthaft suizidal war oder aufgrund ihrer psychischen Probleme in einer Lebenskrise steckte – und das oft mehr als nur ein Mal. Ich wurde sehr oft mitten in der Nacht geweckt durch einen Anruf oder eine Nachricht einer trans Frau, die mir ihren unmittelbaren Selbstmord verkündete. An einigen schrecklichen Tagen wurde ich von der Nachricht geweckt, dass eine trans Freundin, oder die Freundin einer Freundin, gestorben war.

In anderen Situationen habe ich einfach nur den Kontakt mit ihnen verloren und sah besorgt aus der Ferne mit an, wie ihre Profile in den sozialen Medien immer mehr einschliefen, nur um ein paar Monate später oder nach ein paar Jahren mitzubekommen, dass niemand so genau wusste, was sie jetzt eigentlich taten oder wo sie hin waren. Manchmal habe ich doch noch ein bisschen nachgehakt in den Flüsternetzwerken der queeren Community, der Sexarbeiter*innen und ihren Kund*innen. Doch dort stieß ich nur auf Gerüchte, dass die trans Frau, nach der ich suchte, „verrückt geworden" war.

Und das hängt meiner Meinung nach nicht mit einer Veranlagung von trans Frauen für psychische Krankheiten zusammen, sondern vielmehr mit der intensiven öffentlichen Kontrolle, Gewalt und anderen Arten von Trauma, die sich auf unsere Leben auswirken. Trans Frauen sind genial. Wir legen Glanzleistungen ab, weil uns in einer Welt, in der Zukunftsaussichten überaus düster sind, nichts anderes übrigbleibt. Ich habe schon immer dieses Feuer verehrt, das in trans Frauen brennt.

Manchmal glaube ich zu hören, wie sie mir zuflüstern. Und ich frage mich: Wie lange kann das noch so weiter gehen? Wie lange, bis auch ich verschwinde?

Bisher hatte ich in meinem Leben drei schwerwiegende psychische Krisen. Zum ersten Mal in der Highschool, zum zweiten Mal während meines Studiums und das dritte Mal vor einem Jahr. Jedes Mal hatte ich allem Anschein nach materiellen Erfolg. Letztes Jahr veröffentlichte ich drei von der Kritik gelobte Bücher, gewann Literaturpreise, war „berühmt" in der queeren Community, und hatte einen anspruchsvollen Job als klinische Sozialarbeiterin.

Hinter den Kulissen meiner Erfolgserlebnisse kämpfte ich jedoch mit dem Chaos in mir. Meine von der Presse gelobten Bücher und der erhöhte Bekanntheitsgrad, den ich dadurch erlangte, setzten mich Stalkern und zahlreichen E-Mails von fremden Leuten aus, die nach Aufmerksamkeit und nicht entlohnter Arbeit fragten. Durch meine „Berühmtheit" erntete ich Neid und Gossip in der queeren Community, manchmal mit guten Absichten und manchmal hinterhältig, wodurch sich meine Angstzustände in Paranoia verwandelten. Diese Umstände, in Zusammenhang mit meiner Tätigkeit als Therapeutin für queere Jugendliche bedeuteten, dass ich mich weder in meinem Privat- noch in meinem Berufsleben von den traumatischen Erlebnissen, der enormen Verantwortung und dem prüfenden Blick von außen erholen konnte.

Dadurch hatte ich oft das Gefühl, verrückt zu werden. Während dieser schrecklichen Momente kam es mir so vor, als gäbe es kein Entkommen vor den unablässigen Übertragungen der Wünsche, Bedürfnisse, Traumata und Ängste anderer auf mich. Ich sah mich gezwungen, stets makellos rüberzukommen, und zwar allen gegenüber – sollte ich versagen, war die Konsequenz Bestrafung. Ich konnte nicht mehr atmen. Es war vernichtend.

Als Jugendliche sehnte ich mich danach, gesehen zu werden. Ich dachte nämlich, gesehen zu werden bedeutete, geliebt zu werden. Ich sehnte mich danach, bemerkt zu werden, das Gesprächsthema zu sein, begehrt zu werden. Jetzt, da mich alle sehen, will ich einfach nur unsichtbar sein. Sicher sein.

Trans Frauen müssen in ihrer Körperlichkeit und ihrem Verhalten extreme soziale Überwachung aushalten, sowohl innerhalb als auch außerhalb der queeren Community. Unsere Körper sind in den Augen der Gesellschaft stigmatisiert als gefährlich, pervers, psychisch krank, hinterhältig, abnormal. Die Kehrseite ist, dass trans Frauen auch fetischisiert werden – nicht nur sexuell, sondern auch ideologisch. Für die Linken und Liberalen sind wir Märtyrerinnen für den sozialen Wandel, Kanonenfutter für die gute Sache. Ich denke oft an all die trans Aktivistinnen und Anführerinnen, die vor ihrer Zeit gestorben oder verrückt geworden sind, und frage mich: Was, wenn ihr Wohlbefinden den gleichen Stellenwert gehabt hätte wie ihre Arbeit? Was, wenn die Communitys, die ihre Kunst förderten, soziale Programme zusammenstellten, die auf ihren Ideen basierten, aus ihrer Arbeit Profit schlugen, genauso darum bemüht gewesen wären, ihre Leben und ihre Existenz sicherzustellen?

Wenn dem so gewesen wäre, hätte ich dann jetzt auch eine trans Mutter oder eine große Schwester?

Dieses Essay ist eine Geistergeschichte, ein Liebesbrief und ein Kriminalroman.

Die ganze Zeit frage ich mich immer wieder: Was passiert mit genialen trans Frauen, die verschwinden? Was ist den Frauen zugestoßen, die meine Mutter hätten sein können? Wir können diese Frage teilweise beantworten: Manche sind gestorben. Andere verrückt geworden. Manch eine andere hat sich vielleicht einfach aus der Öffentlichkeit zurückgezogen, so gut das einer trans Frau eben gelingen kann, um ein ruhigeres, weniger sichtbares Leben zu führen.

Ich werde von ihnen heimgesucht. So, wie alle trans Frauen. Hinter mir stellt sich eine Reihe von Geistern auf. Trans Frauen, vor ihrer Zeit durch den Hass einer Gesellschaft ermordet, die nicht wusste, wie sie uns lieben sollte. Vielleicht ist das ja der Grund, warum die Worte von trans Frauen so viel ausmachen, so viel Kraft haben. In den seltenen Fällen, in denen wir sprechen dürfen, sprechen wir mit den Stimmen aller, die vor uns kamen.

Vielleicht träumen trans Frauen ja deshalb so intensiv – weil wir Hand in Hand mit allen im Jenseits wandeln.

Wenn ich mir die Frage stelle: Was ist mit meinen Müttern passiert?, frage ich eigentlich: Wo führt mein Weg hin? Was wird mit mir passieren?

In dieser Welt zu leben, ist schrecklich und schmerzhaft. Ich höre die Stimmen hinter dem Spiegel, wie sie meinen Namen rufen. Manchmal schließe ich die Augen und denke mir, es wäre so einfach, ihnen zu folgen – ob durch Tod oder Wahnsinn –, auf nimmer wiedersehen.

An meine geliebten Schwestern und Mütter, die vor mir kamen: Eines Tages lernen wir uns kennen. In dieser oder der nächsten Welt.

Vorerst bindet mich etwas an diesen Ort, etwas wie Hoffnung oder vielleicht Liebe. Ist es möglich, Hoffnung oder Liebe zu haben ohne Glauben? Der Glaube daran, dass alles besser wird, dass wir noch lange und glücklich leben werden, dass eine wohlwollende Kraft im Universum uns ein besseres Ende schenkt? Vielleicht. Ich hoffe, dass mein Leben so glanzvoll wie das meiner Mütter und Schwestern sein wird, die ich nie kennenlernen werde. Ich will für diejenigen leben, die es nicht mehr tun, für die, die vor mir kamen. Ich will so lange und so voller Liebe leben, wie ich nur kann.

was bedeutet es?

was bedeutet es
von etwas geliebt zu werden
das dich nicht erkennt?
wie fühlt es sich an
etwas zu lieben
das du nicht erkennen kannst?

Halt dich am Leben fest, so gut du kannst

In einer Sommernacht vor einigen Jahren, beschlossen meine Soul Sister Kama La Mackerel und ich, ganz oben auf der rubinroten Treppe des TKTS-Ticketverkaufsstands am Times Square ein paar Selfies zu machen. Wir waren übers Wochenende in New York City, um bei einer Spendenaktion für das *Audre Lorde Project* aufzutreten, eine Non-Profit Organisation, die sich für LGBTQIA+ Menschen of Colour einsetzt.

Zeit am Times Square zu verbringen, ist nicht gerade meine Lieblingsbeschäftigung – ich bin doch eine kultivierte Dame, die für diese Touristenklischees nichts übrig hat. Doch Kama, deren Social-Media-Game krasser ist, als ihr es euch vorstellen könntet, war entschlossen, ein Foto von uns auf dieser Treppe zu machen (#TWOCsistas #transgirlsinnyc #femme4femme #whathappensinnewyork). Und was La Mackerel will, bekommt sie auch.

Inmitten der Menschenmenge aus Tourist*innen und Straßenkünstler*innen gingen wir einfach unter – zwei ganz normale, junge Frauen in der Menge. Das ist recht ungewohnt, denn als trans Frauen of Colour fallen wir für gewöhnlich überall auf. Wir kennen es zu gut, ausgelacht zu werden, beschimpft zu werden, oder dass jemand mit dem Finger auf uns zeigt. Bedroht zu werden. Ohne unsere Zustimmung berührt, angefasst oder angegrapscht zu werden. Wir sind es gewöhnt, sowohl sehr grob als auch recht subtil erniedrigt zu werden – und zwar auf der Straße, in der U-Bahn, auf der Arbeit und im Schlafzimmer, von unseren angeblichen Liebhaber*innen.

Während ich so auf dieser leuchtend roten Treppe unter dem künstlichen Licht der Times-Square-Werbeanzeigen saß, war ich vollkommen und unerwartet eins mit dem Universum. Dort, im Zentrum der westlichen Welt, klammerten Kama und ich uns aneinander und kreischten und kicherten und gafften wie die Kleinstadtmädchen, die wir nun mal sind.

„Worüber denkst du nach?“, fragte sie mich, nachdem wir uns ein wenig beruhigt hatten.

Ich öffnete den Mund, um zu antworten, doch ein Kloß steckte mir im Hals. Tränen kamen hoch.

„Ich denke darüber nach, wie weit wir es geschafft haben“, sagte ich dann. „Ich denke daran, wie ich mir noch vor ein paar Jahren nie hätte erträumen können, mal hier zu sein. Oder sogar am Leben. Ich hätte nie gedacht, dass ich mal so glücklich sein könnte, wie ich es jetzt bin.“

Als junge trans Frau of Colour wächst du mit dem Wissen auf, dass dir Gewalt und Tod vorbestimmt sind. Deine Klassenkamerad*innen machen Witze darüber, dass sie Leute wie dich jagen und erschießen werden. In den Nachrichten, Büchern, Filmen und im Fernsehen werden trans Personen fast immer so dargestellt, dass sie am Ende von ihrer Familie verstoßen, sexuell missbraucht, ermordet werden oder alles zusammen. Selbst die einfühlsameren Darstellungen zeigen uns eher als zu bemitleidende Opfer, anstatt als Held*innen, die gefeiert werden sollten.

Keine*r bringt dir bei, dass du auch glücklich sein kannst. Es gibt keine Zukunftsbilder, in denen du dich wiedererkennen könntest.

2014 verkündete das *Times Magazine*, dass die Gesellschaft einen „Trans Tipping Point" erreicht habe, eine „Trendwende Trans". Ein bedeutender, triumphierender Moment für trans Rechte, der in den Medien eine Welle der Aufmerksamkeit für trans Menschen auslöste, insbesondere für trans Frauen. Doch die Berichterstattung in den Mainstream-Medien beschränkt sich schmerzlicher- und erschreckenderweise auf bestimmte Geschichten: Dutzende Artikel über die Zahl der Todesopfer unter trans Frauen im Jahr 2015. Berichte über trans Frauen, die sich unter enormer Gegenreaktion und Gewalt outeten, über trans Frauen, die Sexarbeit verrichteten, um zu überleben, und Geschichten über trans Frauen die ohne einen bestimmten Grund inhaftiert wurden, nur weil sie in der Öffentlichkeit als trans Frauen leben.

Es ist ungemein wichtig, der Unterdrückung und dem Leid von trans Frauen mehr Aufmerksamkeit zu schenken. Ich bin ganz froh, dass es endlich passiert, nachdem die Leute sich generationenlang rausgehalten haben. Was ich gerne mal wissen würde: Wo sind eigentlich die Comics über trans Lady-Raubkapitalistinnen? Wo sind die Zeitschriftenprofile über trans Frauen die Durchbrüche in einem MINT-Beruf erzielen (und ja, die gibt es wirklich)? Wo sind die Pulitzer-Preis-Romane, in denen es um Communitys von trans Frauen of Colour geht, um ihr Zusammenleben, ihre Liebe füreinander, trotz der schrecklichen Umstände?

Mehr als je zuvor müssen wir trans Frauen die Chance haben, uns voller Energie und Tatendrang in der Welt zu sehen. Uns ein Leben vorzustellen, das es sich zu leben lohnt.

Für einen Großteil meines Lebens kannte ich keine anderen trans Menschen. Und die, die ich im Fernsehen sah, waren *weiß* und lebten in einer Welt, die von meiner eigenen unterschiedlicher nicht hätte sein können als chinesisches Kind aus einem migrantischen Viertel in Vancouver. Für mich bedeutete die Zukunft nichts anderes als Angst, Isolation und Elend.

Als ich meinen Eltern erzählte, dass ich trans sei, hatten sie mehr Angst als ich. Sie wuchsen in einer Zeit auf, als anti-Asian-Rassismus in Nordamerika allgegenwärtig war und bei Weitem nicht so unterschwellig wie heutzutage. Sie wussten, was es bedeutete, sich immer wieder mit einer dir feindlich gesinnten Welt abzumühen. Sie hatten ihr ganzes Leben damit verbracht, mir ein besseres zu ermöglichen. Für sie sah es jetzt danach aus, als würde ich diese hart erarbeitete Chance wegwerfen.

Kurz nach meinem nicht-gerade-idealen Coming-Out-Experiment unternahm ich meinen ersten Selbstmordversuch. Als mein Vater mich vom Krankenhaus nach Hause fuhr, sagte er nur, „das alles" – meine psychischen Probleme, meine Geschlechtsidentität – müsse vor den Nachbar*innen geheim gehalten werden. Solche Neuigkeiten verbreiten sich schnell in der chinesischen Community, und er war besorgt, dass das Geschäft meiner Mutter unter meinem „Ruf" leiden würde.

Mein Schicksal bestand also nicht nur darin, ein garstiges, brutales und kurzes Leben zu führen, ich würde außerdem Schande über meine Familie bringen und sie in den Ruin treiben. An diesem Tag lernte ich, was es bedeutete, trans und of Colour zu sein. Eine Lektion, die zu verlernen mich Jahre kostete.

Genau wie meine Eltern, war ich davon überzeugt, dass die einzige Möglichkeit meiner Unterdrückung und Diskriminierung zu entkommen darin bestand, über ihr zu stehen. Wenn ich also meinen Abschluss machen würde, einen gut bezahlten, bürgerlichen Job hätte, meinen Körper medizinisch so anpassen würde, dass ich wie eine „normale" Frau aussähe und einen netten, *weißen* Freund fände, dann würde ich glücklich werden.

Mit anderen Worten war ich davon überzeugt, dass meine Rettung darin bestand, so nicht-trans zu sein, wie nur möglich. Ich war eine trans Frau, wollte jedoch nicht eine von „diesen" trans Frauen sein, wie sie in den Medien zu sehen waren: bemitleidenswerte, lächerliche, unansehnliche Kreaturen, die einer erbarmungslosen Welt ausgesetzt sind.

Allmählich kam ich aber zu einer der wichtigsten und einschneidendsten Erkenntnisse meines ganzen Lebens: Das Glück von trans Frauen, liegt in der Liebe zu anderen trans Frauen.

Als junge trans Frau of Colour hörst du immer wieder, dass das Beste, was du dir erhoffen kannst, die widerwillige Anerkennung anderer Menschen sei. Sie sagen, im besten Fall kannst du dich als ein gescheiterter Mann, als künstliche Frau, als eine Abweichung eines Menschen definieren. Sie sagen, wenn dich doch mal jemand lieben sollte, dann nur trotz deines Andersseins.

Worüber sie kein Wort verlieren, ist die Tatsache, dass du alles andere als allein bist. Denn es gibt eine Community voller schöner, mutiger, wortgewandter Frauen, die genauso (oder zumindest sehr ähnlich) sind wie du.

Unter deinen trans Schwestern bist du nicht die Einzige. Du bist nicht die bemitleidenswerte Verrückte, nicht das Opfer, das nur ausgebeutet wird, oder das Fräulein in Nöten, die nur darauf wartet, gerettet zu werden. Vielmehr bist du Teil einer feurigen, fabelhaften Familie, eines geheimen Netzwerks voller *gender-bending* Kriegerinnen, die sich gegenseitig dabei helfen zu überleben.

Alles verändert sich, sobald du andere trans Frauen kennenlernst. Alles verändert sich, wenn du plötzlich Mentorinnen, Mütter, Schwestern und Vorbilder hast. (Manchmal auch *Frenemies*. Aber für mich sind das Vorbilder, die mir zeigen, wer ich *nicht* sein will.)

Denn es war eine trans Frau, die mich in mein erstes Kleid steckte, die mir zeigte, wie mensch sich schminkt, wie mensch in Absätzen läuft. Es war eine trans Frau, die mir Hormontabletten zusteckte, die mich zur Ärztin begleitete und mir bei meiner medizinischen Transition beistand. Wahrscheinlich waren es Vorbilder wie Laverne Cox und Janet Mock, durch die ich mein Ziel verfolgen konnte, Autorin zu werden.

Mein Leben ist voller Geschichten mit unglaublich tollen Frauen, komplizierten Frauen, gefährlichen Frauen. Wir alle sind trans und so voller Leben. Ich kenne eine trans Frau, die die erlesensten Kleider schneidern kann. Ich kenne eine trans Frau, die wie die Göttin des Krieges tanzt. Ich kenne trans Frauen, die Models sind, Schauspielerinnen, Aktivistinnen, Akademikerinnen, Sexarbeiterinnen. Jede zeigt mir, wie mensch lacht, wie mensch mutig ist, obwohl wir wissen, dass ich eines Tages umgebracht werden könnte, so wie Gwen Araujo oder Kiesha Jenkins, unschuldige Mädchen, die eines grausamen Todes starben, weil sie es wagten, als trans Frauen zu leben.

„Mutig" ist so ein seltsames, aufgeladenes Wort. Trans Frauen bekommen es gerade immer wieder zu hören. Liberale, die es gut mit uns meinen, nennen uns andauernd so, weil sie den Gedanken nicht aushalten können, ein Leben zu führen, das so ist, wie unseres. Sie denken mutig zu sein bedeutet, immer allein zu sein, immer für den Platz zu kämpfen, der dir zusteht. Nie zu wissen, was der nächste Tag bringen könnte.

Sie haben oft recht. Viel zu viele trans Menschen leben und sterben allein.

Doch mutig kann genauso gut bedeuten: gemeinsam sind wir stärker, sich unter Ausgestoßenen einen Platz zu schaffen – in Solidarität und Schwesternschaft. Es könnte auch bedeuten, dass du immer kämpfen musst, aber nie allein.

Als Sozialarbeiterin habe ich oft trans Frauen angetroffen, die eine Transition wollten, und sich der möglichen Konsequenzen vollkommen bewusst waren: Ablehnung durch die Familie, öffentliche Diskriminierung. Einmal hat mich eine gefragt, wie ich es schaffe, in meiner gewählten Genderpräsentation zu leben – ob ich denn glücklich sei, ob ich irgendetwas bereuen würde.

Für trans Frauen und vielleicht für extrem unterdrückte Menschen im Allgemeinen, bedeutet Glück etwas anderes als das, was wir in Disney Filmen gelernt haben oder was uns der amerikanische Traum verkauft. „Glück bis ans Lebensende" ist eine Vorstellung, die nur für die Reichen und Privilegierten gilt.

Unser Glaube an das Glück muss etwas sein, das nicht erst in einer fernen Zukunft zu erreichen ist, in der wir sicher und geborgen leben, sondern im Hier und Jetzt, um täglich überleben zu können.

Wenn Menschen wie du am laufenden Band ermordet werden, wenn geschlechtsspezifische und rassifizierende Gesetze und soziale Normen jeden Aspekt der Gesellschaft vorgeben, ist das Erleben von Glück als ein Zustand der anhaltenden Sicherheit keine Möglichkeit. Es ist keine Möglichkeit, glücklich zu werden durch die Anerkennung der meisten Menschen um dich herum, denn egal, was passiert, es wird immer eine Person geben, die dich als minderwertig sehen wird.

Uns bleibt nichts andere übrig, Glücklichsein dadurch zu definieren, dass wir uns selbst lieben, so, wie es für uns am besten ist.
Diese Art von Glück verdienst du dir, indem du akzeptierst, dass der Kampf mit dem Leben nie aufhört. Eine Art von Glück, die nur im Auge des Sturms zu finden ist, in den Armen der Community. Und obwohl ich dieses Gefühl nicht immer in mir finden kann, reichen mir die Tage, an denen ich es spüre, völlig, um zu wissen, dass ich absolut nichts bereue, was meine Transition angeht.

Unter trans Leuten wird oft von Genderdysphorie gesprochen – Ablehnung gegen oder Hass auf den eigenen Körper oder das Selbst. Aber ich will über Gendereuphorie sprechen – der Zustand des Glücks und der Freude, du zu sein, in der Genderpräsentation, die für dich richtig ist.

Gendereuphorie ist ein Gefühl, das trans Menschen nicht erzwingen können. Du musst dafür kämpfen, es entdecken, trotz der Hürden, die dir im Weg stehen. Es ist etwas, das von einer trans Schwester zur nächsten vermacht wird.

Irgendwann in den letzten Jahren habe ich Gendereuphorie für mich entdeckt. Ich kann nicht genau sagen, wann oder wo es passierte. Doch ich weiß, wenn ich an die Zukunft denke, dann kann ich es kaum erwarten, herauszufinden, was als Nächstes kommt.

Auf den leuchtenden Stufen des TKTS-Verkaufsstands am Times Square, unter den Lichtern der Broadway-Anzeigen und endlosen Werbung, tauschten Kama und ich Geschichten aus: Sie erzählte mir von ihrer Kindheit auf Mauritius, wie sie lernte queer zu sein, wie es meiner Reise ähnelte und doch völlig anders war. Wir sprachen über Beziehungen mit guten und schlechten Liebhaber*innen, über die Organisation von Bürokratie und Krankenversicherung als trans Frau.

Wir sagten uns zum hundertsten Mal, wie dankbar wir waren, im Leben der anderen zu sein.

Dann, genau in dem Moment, als wir voller Liebe füreinander aufhörten zu sprechen, brach die Menge um uns herum in tosenden Jubel und Beifall aus. Für eine verrückte Sekunde, dachte ich, sie würden uns applaudieren, dass die Welt aus den Fugen geraten sei und wir in den Hauptrollen eines kitschigen Musicals gelandet waren.

Dann wurde mir klar, dass ein *weißes* hetero Pärchen der eigentliche Anlass für die Aufmerksamkeit war. Der Mann kniete auf einem Bein mit einer kleinen, geöffneten Schatulle in seiner ausgestreckten Hand, die einen Diamantring präsentierte. Die Frau hob unter Tränen ihre Hände vor den Mund.

„Ja", schluchzte sie, voll von dem Glück, das Mädchen wie Kama und ich vielleicht nie erfahren werden. „Ja."

Der Mann stand auf und wirbelte sie durch die Luft, während die Menge brüllte und tausende Fotos schosss, um das Ereignis festzuhalten.

Zwischen ihnen waren Kama und ich nur zwei weitere junge Frauen in der Menge. Und obwohl das zukünftige Brautpaar nichts davon wusste, uns nicht einmal sehen konnte, lachten und weinten wir mit ihnen, aus Gründen, die denen der beiden ähnelten, aber auch völlig anders waren.

Meine Schwester und ich standen auf der leuchtenden Treppe gen Himmel im Zentrum der Welt und hielten aneinander fest, so gut wir nur konnten.

für mädchen, die süchtig danach sind, sich selbst zu verletzen

vergiss nie, wer du bist
wenn der wind an deinem brustkorb zerrt
und um dein rückgrat die nacht einkehrt
wenn du deine hände betrachtest, so sauber, so sanft
so sachte so hübsch so zerbrechlich so süß,
wie zwei abgestorbene korallenäste
dem meeresgrund entrissen
und in einem glas auf samt gebettet
und du fragst dich
zu wem gehören sie?
vergiss nicht

es gab eine zeit, als du wunden
mit deinen bloßen nägeln aufgerissen hast
es gab eine zeit
als männer deine zähne fürchteten
jetzt, wenn sich menschen verwundert
nach dir umdrehen, wenn du
dir die haare ausreißt
und dich gegen wände schmeißt
und fragen: *bist du verrückt geworden?*
solltest du dich daran erfreuen,
dass sie dich zum ersten mal wirklich sehen

es ist verdammt lang her
seitdem du dein spiegelbild betrachtet hast
und das mädchen erkanntest, das albträume heimsuchte
es ist verdammt lang her
seit du ein zerschmetterndes gedicht geschrieben hast
wann hast du gelernt,
dass dich menschen so besser finden?
wann hast du entschieden,
dass jemand anderem zu gehören
besser ist,
als dir selbst?

vergiss nicht

du bist das mädchen, dass sich entschied, rot zu tragen
das von feuer träumte, vom fliehen
und nach dem wolf im wald suchte
du bist das mädchen, das rannte
durch die wälder, haar zerzaust vom wind
du bist das mädchen, das eselshaut
auf seine haut nähte
und das land heimsuchte,
auf der suche, nach
einem leben, das du dein eigen nennen konntest
vergiss nicht

als du mit sechzehn im krankenhaus
in einem glaskäfig eingesperrt warst
die polizistin, die dich hergebracht hatte lächelte
und sagte: *du wirst mal ein braves mädchen*
alle lieben brave mädchen
selbst da wusstest du
dass ein braves mädchen
an deiner stelle
nicht überlebt hätte
irgendwie bist du im traum
einer anderen aufgewacht
dieser winzige palast, voller kristalle und samtstoffe
so nett
so süß
so sicher
damit du bleiben konntest
hast du deinen schatten abgeschnitten
und in eine kiste gepackt.

dennoch, tief in dir weißt du: dieses mädchen bist nicht du
du bist nicht *sein mädchen*
du gehörst nur dir
und du weißt, wie die geschichte ausgeht:

du musst dir deine hände zurückholen
du musst dir dein haar zurückholen
du musst dir deinen schatten zurückholen
du musst dir deine zähne zurückholen

es gibt eine moral zu dieser geschichte
und du wurdest geboren, sie zu erzählen
sicher und frei ist nicht ein und dasselbe
leben und lebendig sein ist nicht ein und dasselbe

also reiß dir an den haaren und schwärze deine augen
schärfe deine klauen und schmeiß dich
gegen spiegel und pforten

brich, was sein muss
nimm dir die scherben und schreib
ein essay in deine haut
das mit den folgenden worten
endet, wie es begonnen hat:

vergiss nie, wer du bist

Danksagung

Von allen Büchern, die ich bisher geschrieben und veröffentlicht habe, war dieses mit Abstand das schwierigste und angsteinflößendste. Daher bin ich allen enorm dankbar, die es ermöglicht haben.

Danke an Brian Lam, Shirarose Wilensky, Cynara Geissler, Oliver McPartlin und den Rest des Arsenal Pulp Press Teams: Danke, dass ihr an mich geglaubt und mich bei jedem Schritt unterstützt habt.

An alle Lektor*innen, die mit mir an den vielen Beiträgen in diesem Buch gearbeitet haben, die in anderen Publikationen bereits erschienen sind.

An alle Frauen und Femmes, deren Arbeit und Texte über transformative Gerechtigkeit und *Healing Justice* mich beeinflusst haben: Porpentine Charity Heartscape, Leah Lakshmi Piepzna-Samarasinha, Mia Mingus, adrienne maree brown, Morgan M Page, Sarah Schulman und viele andere.

An Jake, meinen Liebsten, der sich so manchen Wutausbruch zu jedem Thema in diesem Buch anhören musste.

An Kelly, Kama, Emily und Kota, die mich in einigen der schwierigsten Momente meines Lebens unterstützt haben.

An Chanelle, Marty und Jon, ohne die ich nicht mehr hier wäre, um zu sehen, wie dieses Buch in der Welt existiert.

An alle, die ich in den letzten Jahren an Suizid, Wahnsinn, Gewalt und Trauma verloren habe – meine Liebe für euch hält in alle Ewigkeit, in dieser und der nächsten Welt.

Von den Sternen am Himmel zu den Fischen im Meer

Ein Bilderbuch für Kinder ab drei Jahren zum Vorlesen und -singen, das Hoffnung auf eine Welt jenseits der 2 Geschlechter macht und uns zeigt, wie Akzeptanz in einer diversen Gesellschaft (er-)lebbar ist.

In der magischen Zeit zwischen Nacht und Tag wird in einem kleinen blauen Haus auf einem Hügel ein Kind geboren. Miu Lan ist jedoch nicht nur irgendein Kind, sondern eins, das sich in jede vorstellbare Gestalt verwandeln kann. Das einzige Problem ist, dass es sich nicht entscheiden kann, was es sein soll: Junge oder Mädchen? Vogel oder Fisch? Blume oder Sternschnuppe? Aber er findet Trost in den liebenden Armen ihrer Mutter, die ihm stets denselben liebevollen Refrain vorsingt:
„Was immer du dir wünschst, kannst du sein, glaub ich sehr,
von den Sternen am Himmel zu den Fischen im Meer."

Miu Lan wird oft gefragt, wer sie ist und wer er wohl sein möge. Aber eins ist sicher: Egal was aus dem Kind wird, ihre Mutter wird ihn trotzdem lieben.

Illustriert von Kai Yun Ching & Wai-Yant Li, übersetzt von Katja Anton Cronauer.

Seiten 40 | ISBN 978-3-96042-094-1 | Preis 14,90 €

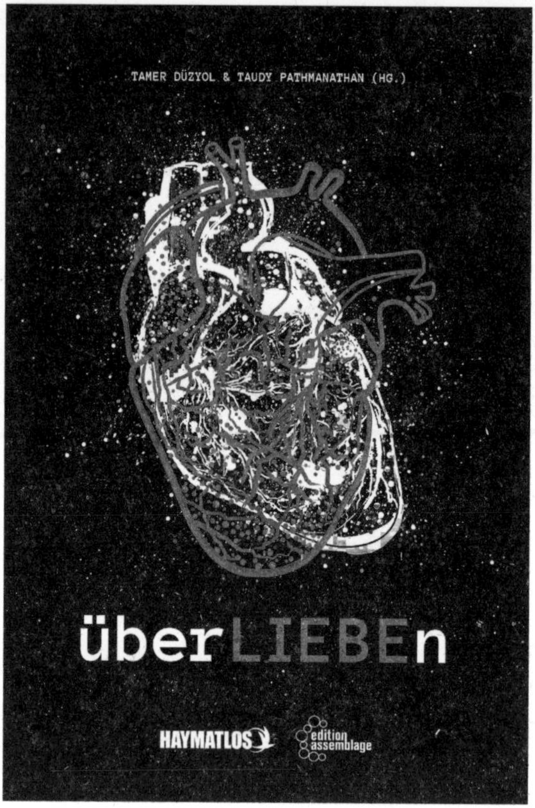

Seiten 144 | ISBN 978-3-96042-155-9 |Preis 14,80€

Wir brauchen Liebe. Liebe ist mehr als nur romantisch. Liebe ist politisch, Liebe ist solidarisch, Liebe ist poetisch.
überLIEBEn sind unsere Geschichten.

Liebe ist überall, in Song-Texten, in Filmen, abgebildet in Kunstwerken, in Büchern. Häufig wird dabei über Liebe im romantischen Kontext geschrieben, gesprochen und diskutiert.
überLIEBEn setzt Liebe in den Mittelpunkt und macht es sich zur Aufgabe, das Bild zu vervollständigen. Mit dem Gedichtband werden die verschiedenen Liebesformen nebeneinander gelegt. Dabei werden eine Vielzahl von Lyriker*innen zusammengebracht, um die verschiedenen Perspektiven auf Liebe zusammenzuführen. Denn Liebe ist nicht nur romantisch, freundschaftlich und familiär. Liebe ist politisch, Liebe ist solidarisch, Liebe ist poetisch.